D1048092

Nous remercions le ministère du Patrimoine canadien,
la SODEC et le Conseil des Arts du Canada
de l'aide accordée à notre programme de publication

ainsi que le Gouvernement du Québec
– Programme de crédit d'impôt
pour l'édition de livres
– Gestion SODEC.

Nous reconnaissons l'aide financière
du gouvernement du Canada
par l'entremise du Programme d'aide au développement
de l'industrie de l'édition (PADIÉ) pour ce projet.

Illustration de la couverture :
Jean-Marc Saint-Denis

Couverture :
Conception Grafikar

Édition électronique :
Infographie DN

Dépôt légal : 4e trimestre 2005
Bibliothèque nationale du Canada
Bibliothèque nationale du Québec

123456789 IML 098765

ISBN 2-89051-945-7
11167

Maximilien Legrand, détective privé

Données de catalogage avant publication (Canada)

Vanier, Lyne

Maximilien Legrand, détective privé

(Collection Conquêtes ; 107. Roman)
Pour les jeunes de 12 ans et plus.

ISBN 2-89051-945-7

1. Titre II. Collection : Collection Conquêtes ; 107.
III. Collection : Collection Conquêtes. Roman.

PS8643.A698M39 2005 jC843'.6 C2005-941450-2
PS9643.A698M39 2005

Lyne Vanier

Maximilien Legrand, détective privé

roman

ÉDITIONS PIERRE TISSEYRE

5757, rue Cypihot, Saint-Laurent (Québec) H4S 1R3
Téléphone: (514) 334-2690 – Télécopieur: (514) 334-8395
Courriel: ed.tisseyre@erpi.com

Pour Guy, Louis-Philippe, Vincent
et Sébastien, qui m'avez accompagnée
patiemment tout au long de la rédaction des
aventures de Maximilien.
Merci de votre soutien et de votre confiance.

Merci également à Mme Susy Jolicœur
qui a fait montre d'une gentillesse exquise
et d'une aide précieuse
dans la mise en page de mon texte.

Finalement, un merci tout spécial à
Mme Geneviève Mativat, éditrice,
qui m'a guidée pas à pas
dans ce voyage fantastique
que représente l'écriture
d'un premier roman.

I

La fin des classes

La fin de l'année était arrivée ! Enfin... presque. Officiellement, il restait encore cinq minutes de classe. Max se sentait des fourmis dans les jambes et ses pieds bougeaient tout seuls sous le pupitre. Ils faisaient un bruit ressemblant à un roulement de tambour, comme si un grand événement se préparait. Ce qui, au fond, était un peu vrai : deux mois de vacances ! Tout un programme !

Max ne cessait de regarder l'heure qui semblait figée à quinze heures vingt-cinq depuis une éternité. En ce dernier jour de classe, même l'horloge paraissait épuisée, au bord de la panne totale d'énergie. Il aurait fallu un microscope pour en voir avancer les aiguilles. Max les soupçonnait de reculer dès qu'il ne les surveillait plus. Il décréta donc leur garde à vue complète. Les secondes s'étiraient, s'étiraient. Elles semblaient faire un concours pour savoir laquelle se prolongerait le plus longtemps.

Max n'en pouvait plus. Une guerre nucléaire faisait rage dans ses jambes. Encore un peu et ses pieds défonceraient le plancher.

Désormais inutiles, les pupitres attendaient, vidés, lavés, déjà prêts pour septembre prochain. Les livres et les cahiers gisaient pêle-mêle au fond des sacs depuis longtemps. Allez ! Allez ! Il ne restait plus qu'à se souhaiter de bonnes vacances et à se quitter pour l'été ! Encore une minute et Max allait exploser ! Pour lui, ce long congé se révélait une nécessité absolue. En effet, l'école des Hauts-Sommets était un endroit très sérieux. On y apprenait l'histoire, la musique, la géographie, les mathématiques, la chimie, la physique, l'archéologie, l'informatique, la linguistique. Et, comme si ce n'était pas assez : cinquante-trois langues secondes !

Max aurait voulu brandir une pancarte sur laquelle serait écrit en grosses lettres majuscules : URGENCE ! GRAND BESOIN DE VACANCES !

Pendant quelques instants, il se laissa emporter par ses souvenirs et repensa aux mois qui venaient de s'écouler. Or, pendant qu'il ne les regardait pas, les aiguilles de l'horloge tournèrent à toute vitesse. Tous ceux qui ont déjà observé une horloge de près vous le confirmeront : les aiguilles du temps souffrent d'une timidité maladive. Elles paralysent quand elles se sentent observées. Mieux vaut donc passer à autre chose si on veut voir l'heure avancer.

Ainsi, quand il ne l'attendait plus, la cloche retentit ! DRRRRRINGGG ! Terminée l'année scolaire ! Enfin !

Bisous à Mlle Fleurie, responsable de l'infirmerie ; salutations respectueuses à M. Taillefer, le directeur, et adieux soulagés à Mme Larose, son professeur. Et voilà ! C'était fini ! F-i-fi-n-i-ni. Fini !

Deux mois entiers de liberté ! Max se sentait tout léger malgré son sac d'une tonne et demie. Il aurait même été capable d'en porter davantage. Le nouveau vacancier s'élança sur la route et commença à galoper en direction de sa maison. Malgré sa hâte, il s'arrêta à quelques mètres de l'école pour porter secours à son amie Rosalie. Celle-ci ployait sous une montagne de bagages. Terriblement prévoyante, Rosalie ne voulait jamais manquer de quoi que ce soit. Aussi chaque année, à la fin des classes, il lui fallait un camion de déménagement pour rapporter chez elle tout ce qui s'était tranquillement accumulé, jour après jour, dans son casier, son pupitre et autres cachettes connues d'elle seule.

— Merci beaucoup Max ! Il me faudrait une brouette ! dit Rosalie en riant.

Elle rougit un peu. Peut-être à cause de l'effort, ou encore parce qu'elle aimait bien Max. Auprès de lui, elle sentait des petits papillons lui chatouiller le cœur.

— Je ne suis pas sûr qu'une brouette suffirait Rosalie ! En fait, tu aurais dû commander une remorque ! Je vais te donner un coup de main ! Sinon, tu n'y arriveras jamais !

Max délesta son amie de quelques paquets. Les joues de Rosalie se couvrirent de taches écarlates du plus bel effet. Pour ajouter à sa confusion, Fernando Lacasse, un grand dadais de secondaire quatre, passa près d'eux en sifflotant et en criant, très fort pour que tous les passants l'entendent :

— Tiens, salut les amoureux ! Hou ! Hou ! Quel beau petit couple ! Vous emménagez ensemble ?

Max allait répliquer, mais Rosalie lui donna un petit coup de coude et lui chuchota à l'oreille :

— Ne réponds pas, Max ! Il n'attend que ça ! Fais comme si tu ne l'avais pas entendu.

Tout le monde sait que cette technique n'est pas toujours efficace. Dans certaines circonstances, il faut absolument répliquer car toutes les disputes ne peuvent être évitées. Heureusement, ce jour-là, la placidité de ses victimes ennuya Fernando au plus haut point. Il passa rapidement son chemin à la recherche de cibles plus coopératives et plus intéressantes. Poussant un profond soupir de soulagement, Max et Rosalie reprirent la route.

— Que feras-tu cet été ? demanda Max à son amie.

— Hou la la, Max ! Tu ne peux même pas imaginer à quel point je serai occupée. Mes parents ont vraiment peur que je m'ennuie. Ils m'ont inscrite à au moins cent cinquante activités. Je ne sais pas comment je me débrouillerai pour être partout à la fois !

— Pouach ! Encore pire que l'école. Pauvre Rosalie !

— Oh oui ! Je suis bien à plaindre. Et toi Max ? Des projets pour l'été ?

L'adolescent prit un air très mystérieux. Il regarda autour de lui pour s'assurer qu'aucun espion ne rôdait dans les environs, baissa la voix et murmura :

— Je pense que mes parents ont secrètement organisé un voyage dans les îles grecques pour toute notre famille.

— Comment ça « secrètement » ? interrogea Rosalie, surprise et surtout très déçue que Max s'en aille à l'autre bout du monde durant les vacances. Adieu, les chatouillis au cœur !

— Chut ! Pas si fort ! On va nous entendre.

— Maximilien Legrand ! Arrête de te prendre pour James Bond ! Ce n'est pas un si grand secret que ça un voyage dans des îles. Même s'il s'agit d'îles grecques. Pas de quoi en parler aussi bas. Et puis d'abord, à quoi rime cette histoire de voyage secret ? Ou tu y vas. Ou tu n'y vas pas. Un voyage secret ! Ridicule !

Rosalie marchait très vite. Elle avait de la peine. Max lui parlait de partir en voyage comme on parle d'aller au dépanneur. Il ne devait certainement pas l'aimer beaucoup. Envolés les papillons autour du cœur. À leur place des millions de glaçons. Très pointus. Très piquants.

L'adolescent sentit bien que quelque chose de grave venait de se passer. Quand Rosalie se mettait à l'appeler « Maximilien », rien n'allait plus. Une minute plus tôt, pourtant, tout baignait dans l'huile ! Il avait suffi qu'il parle des vacances avec son amie pour qu'elle se fâche et semble subitement très pressée de se retrouver loin de lui.

« Les filles sont affreusement compliquées », soupira-t-il, en continuant seul son chemin.

Galant comme tout, Max alla quand même porter chez Rosalie les paquets dont il l'avait soulagée. La mère de la jeune fille le remercia et lui dit :

— Je ne sais pas quelle mouche a bien pu la piquer ! Elle vient d'arriver en courant, ne m'a même pas dit bonjour et s'est enfermée dans sa chambre. Je l'entends pleurer. Sais-tu pourquoi, Max ?

— Pas du tout ! On parlait tranquillement des vacances et puis BANG ! La voilà qui part comme une fusée !

— Ah bon ! La fatigue sans doute.

— ...

Max se disait que les cent cinquante activités prévues pour Rosalie n'allaient sans doute pas améliorer la situation, mais il jugea préférable de se mêler de ses affaires et garda le silence.

— Merci quand même, Max.

— Ça m'a fait plaisir. Au revoir madame Latendresse ! Bon été !

Max reprit sa route. Son sac pesait plus lourd que tout à l'heure. Il ne voulait pas froisser son amie. Reste qu'il croyait fermement au voyage secret organisé par ses parents.

II

Projets de voyage

L'adolescent n'en avait encore parlé à personne, ni à son frère Alexandre ni à sa sœur Augustine. En fait, SURTOUT PAS à son frère Alexandre ou à sa sœur Augustine. Pour une fois qu'il était informé de quelque chose que ces deux génies ignoraient encore. Il faut préciser tout de suite qu'entre Max, Alexandre et Augustine, régnait une certaine tension.

Personne ne comprenait comment les mêmes parents avaient pu produire des enfants aussi différents : Alexandre, dix ans, un rêveur surdoué, Augustine, treize ans, une fée tout droit tombée du ciel, et Maximilien, douze ans, que tout le monde appelait Max, constamment en mouvement, incapable de s'arrêter.

Toujours est-il que, voilà quelques semaines, Max avait surpris une conversation entre ses parents :

— Paul, y penses-tu vraiment ? Un mois ! Les pauvres chéris ! Ils risquent de trouver cela bien long. J'ai peur qu'ils s'ennuient, avait soupiré sa mère.

— Voyons Nathalie ! La Grèce ! C'est une occasion inouïe ! On ne peut pas laisser passer ça ! avait rétorqué son père.

Le téléphone avait sonné juste à ce moment, mettant fin à cette passionnante conversation. Mais Max en avait assez entendu ! Pas besoin d'être un génie pour comprendre que ses parents étaient en train d'organiser un voyage familial d'un mois en Grèce. Et sa mère craignait que les enfants ne trouvent cela trop long ! Les mères s'inquiètent toujours pour rien. Voyons donc ! Max, étant pratiquement un spécialiste de la Grèce, approuvait totalement le choix de cette destination. En effet, en cinquième année, il avait fait une recherche sur Ios, une petite île des Cyclades. Il possédait encore un superbe dossier sur cette île, quelque part dans les fichiers de l'ordinateur. Il se souvenait que c'était très joli. On sentait la chaleur, même sur les photos. Des clochers arrondis, des maisons blanches, de l'eau et un ciel tellement bleus qu'ils semblaient avoir été peints à la main. Sa recherche avait certainement poussé ses parents à choisir cette destination ! Max se frottait les mains de ravissement.

Le lendemain de la mystérieuse conversation, il avait donc décidé de faire enquête. Très subtilement.

En arrivant au déjeuner, alors que tout le monde avait les cheveux ébouriffés et se trouvait encore incapable d'aligner correctement une seule phrase, Max avait lancé, tout excité :

— Je voudrais que quelqu'un m'aide à retrouver mon dossier sur la Grèce. L'ordinateur l'a avalé. Magnifique, la Grèce, pas vrai ? J'aimerais ça moi aller là-bas ! Pourquoi n'iraiton pas cet été ? Au moins un mois ! Peut-être deux ?

Max est comme ça. Endormi, un coup de canon ne le dérangerait pas. Éveillé, il turbine à deux cents kilomètres à l'heure.

Les sourcils froncés, sa mère l'avait scruté à travers sa frange en pagaille. Puis elle s'était tournée vers le père de Max avec un drôle de regard complice, gêné, un peu coupable et soulagé à la fois.

— Eh bien ! Dis donc ! Te voilà bien fringant aujourd'hui ! On ne voulait pas vous en parler tout de suite, mais puisque tu abordes le sujet... Votre père et moi avons quelque chose à vous annoncer. Cependant, il va falloir attendre ce soir car ce matin, nous sommes un peu pressés.

« Ah ! Les chenapans ! Ils veulent faire durer le suspense », avait pensé Max.

La journée fut interminable...

— Comment ça « VOUS » partez en voyage ? Et nous ? Comment ça vous partez TOUT SEULS tous les deux ? Comme des vieux célibataires ! Ce n'est pas juste ! Ce n'est pas comme ça dans les VRAIES familles ! Les membres d'une vraie famille font des voyages ENSEMBLE ! Pas chacun de son côté ! C'est quoi EXACTEMENT cette idée là ?

Max s'arrêta là, essoufflé, rouge d'indignation. Il respirait aussi bruyamment qu'une locomotive. Un séisme d'au moins sept sur l'échelle de Richter semblait se déchaîner dans la cuisine tellement l'adolescent tremblait de partout. Max était affreusement fâché. Enragé noir, comme dirait sa grand-mère Lucie.

Avec une douceur très suspecte, Nathalie et Paul venaient d'annoncer à Max, Alexandre et Augustine qu'ils partaient TOUS-LES-DEUX-SANS-LES-ENFANTS célébrer leurs quinze ans de mariage, en croisière, dans les îles grecques, durant tout le mois de juillet.

— Vous comprenez, les enfants ? Il s'agit d'un moment très spécial pour nous. Quinze ans ! Et puis il y a une éternité que nous avons pris des vacances ensemble votre père et moi, avait insisté Nathalie.

« Faux ! », fulminait Max. « Archi-faux ! Si on parlait un peu de leur fin de semaine de ski en Charlevoix l'hiver dernier ? », avait pensé l'adolescent frustré.

Drapé dans son courroux, Max avait lancé :

— Bien ! Allez-y donc en Grèce, gros bébés-la-la gâtés ! Ce n'est même pas beau cette place-là ! En plus, il fait toujours trop chaud ! Vous allez fondre. Vous allez ratatiner. Quand vous reviendrez, vous aurez l'air de deux vieux pruneaux séchés. De toute façon, rester mariés quinze ans, quelle idée démodée ! Plus personne ne fait ça ! Vous êtes... vous êtes...des fossiles périmés !

Et sur cette insulte foudroyante, Max était sorti de la cuisine, laissant ses parents, Augustine et Alexandre tout abasourdis.

« Oups ! On a un problème », avaient pensé Paul et Nathalie.

« Mouais... je n'ai pas été très gentil », s'avoua Max du fond de sa garde-robe.

Quand Max était fâché, triste ou énervé, c'est là qu'il se réfugiait. Il fermait la porte, s'asseyait dans le noir et faisait clignoter sa lampe de poche. Allumée-éteinte-allumée-éteinte. Très vite au début, puis de plus en plus lentement à mesure qu'il se calmait.

« Peut-être que ce n'est pas vrai... »

« Peut-être qu'ils ne partent pas en voyage... »

« Peut-être que c'était une surprise ! »

« Peut-être qu'on va vraiment partir tous ensemble ! »

« Peut-être qu'ils ont eu peur que je gâche la surprise ! »

« Peut-être qu'ils ont inventé de toutes pièces cette histoire de voyage en amoureux pour que j'arrête de poser cent mille questions ! »

« Ce départ en famille est sûrement décidé depuis longtemps ! »

Max était à nouveau convaincu.

« Wow ! Les îles Grecques, pendant un mois, c'est magnifique ! »

Doit-on absolument le spécifier ? Max était un éternel optimiste.

« Bon et maintenant, jouons le jeu », avait décidé Max. Comme le disent les Anglais : « *If you can't beat them, join them.* »

— Maman, papa. Je vous demande pardon pour ce que j'ai dit tout à l'heure. Ce n'était pas gentil du tout. Je vous aime. Vous avez le droit de partir en voyage. C'est beau la Grèce. Super-beau. Bien sûr, il fait chaud là-bas, mais vous ne fondrez pas. Je voulais juste vous faire peur.

— Oh ! Maximilien ! Mon chéri ! Comme tu es gentil. Tu sais qu'on t'aime beaucoup nous aussi. Un jour, on fera un grand voyage tous ensemble. Promis.

Quand la mère de Max était émue, elle recommençait à l'appeler « Maximilien » et elle semblait oublier qu'il avait douze ans. Visiblement, ce jour-là, elle était très touchée par les excuses de son fils.

« Ouf ! », pensa celui-ci : « mission accomplie. Maintenant, ouvrons l'oreille. Et même les deux ».

III

Complots et trahisons

C'est ainsi que Max se retrouva sur le chemin de sa maison avec un gros chagrin sur le cœur, celui d'avoir blessé sa Rosalie ; un gros chagrin qui se disputait la meilleure place avec un gros bonheur, celui d'être à la porte des grandes vacances et d'un voyage exotique en voilier.

La première semaine de congé se passa normalement. Max transforma à sa manière tout ce qu'il entendit au sujet du voyage de ses parents. Selon lui, il s'agissait d'une brillante machination, d'un tendre complot élaboré pour le mystifier et le surprendre avec une « révélation » finale fracassante. Cette conviction le rendait très indulgent et, pendant tout ce temps, il régna dans la maison des Legrand une harmonie inhabituelle.

Dans la logique de cette manigance, il avait été «décidé» qu'Alexandre passerait le mois de la croisière parentale au Camp Spatial des jeunes débrouillards. Grand amateur de planètes, télescopes et autres bidules astronomiques, Alexandre était déjà au septième ciel! Augustine, musicienne de naissance et plus jeune membre de tous les temps de l'Orchestre symphonique national, irait, elle, parfaire sa technique au camp musical Mozart et Cie. Quant à Max, il avait vaguement entendu dire qu'on l'enverrait passer un mois à la campagne chez tante Clémentine, la sœur de sa mère. Il accorda peu d'attention à cette information visiblement destinée à l'induire en erreur et à endormir ses soupçons. Il savait pertinemment qu'il serait en Grèce au mois de juillet. Certainement pas à Ste-Marguerite-la-très-verte, lieu de résidence de tante Clémentine.

Avec un petit sourire condescendant, il observa son frère et sa sœur préparant des bagages au contenu profondément ridicule. Atlas du ciel, lunettes d'approche, cahiers de partitions et de solfège, métronome. Il rigola dans sa barbe! Max les imagina sur le pont d'un voilier, sous un soleil de plomb, avec leurs équipements saugrenus! Hi! Hi! Hi! Lui aussi boucla ses bagages mais, bénéficiant d'une longueur d'avance sur Alexandre et Augustine, il procéda de façon plus judicieuse.

Dans sa valise, s'empilèrent : ses palmes, son masque de plongée, son tuba, ses quatre maillots de bain, son matelas pneumatique gonflable en forme de requin, sa casquette des Expos, ses lunettes de soleil et sa collection de bandes dessinées. Il n'oublia pas d'y inclure son baladeur, son nouveau disque de *Green Day* ainsi que son appareil photo numérique. Pour donner le change, il prépara tout de même une seconde valise contenant tout ce dont on a besoin à la campagne, c'est-à-dire pas grand-chose puisque, d'après Max, il n'y avait rien à faire en un tel endroit.

Max plaça la valise de campagne sur sa commode, bien en vue. La valise grecque, quant à elle, fut cachée sous le lit. Un endroit où personne n'allait jamais. Même pas avec un balai.

Quand la mère de Max venait lui souhaiter bonne nuit, la vue de la valise sur la commode la rassurait : son fils semblait avoir accepté la situation. Parfois, attendrie, elle lui disait même :

— Ah ! Max ! Si tu savais à quel point j'aimerais que tu viennes avec nous ! Ce sera pour une autre fois. Tu vas bien t'amuser chez tante Clémentine. Et puis, nous allons te rapporter des tas de cadeaux. Tu verras, un mois c'est vite passé !

« Quelle comédienne tout de même ! », pensait Max du fond de son lit. « Elle devrait passer des auditions pour la télé ! Ils l'engageraient tout de suite. »

Les jours passèrent.

Max s'ennuyait ferme. Seul avec son secret, il commençait à trouver que ses parents prenaient ce petit jeu de cachotteries un peu trop au sérieux.

— Oui allô! C'est Mme Legrand, la mère d'Augustine. L'arrivée au camp a bien lieu samedi le premier juillet à dix heures ?

— …

— Oui, oui ! Dans trois jours ! Le temps file, le temps file ! Merci ! On vous voit samedi.

Quelques minutes plus tard, nouvelle comédie téléphonique :

— Bonjour, je suis la mère d'Alexandre Legrand.

— …

— Oui, c'est ça ! Le petit Alexandre ! Il va à votre camp à compter de samedi. Votre liste de fournitures me laisse un peu perplexe : a-t-il besoin de lunettes de vision nocturne et de jumelles, ou seulement de jumelles ?

— …

— Ah ! Vous fournissez les lunettes ! Super ! Merci beaucoup ! À samedi !

— …

— Oui ! Il se peut que nous soyons un peu en retard. Nous devons d'abord passer à la gare pour y laisser notre autre fils, puis au camp Mozart et Cie pour notre fille.

— …

— Oh ! Je suis bien d'accord avec vous ! Après tous ces voyagements, nous mériterons tout à fait nos vacances !

— …

— Oh oui ! À samedi !

Les parents de Max travaillaient décidément très fort pour que cette comédie soit convaincante. « Ils sont pitoyables », se disait quand même l'adolescent. « Leur histoire ne tient pas debout. Ils ne nous feraient JAMAIS un coup pareil ! Non ! Je les connais depuis toujours. Ils ne nous feraient JAMAIS ça ! » Mais, plus les jours filaient, plus Max avait besoin de se raconter des histoires rassurantes. Il passait beaucoup de temps dans sa garde-robe. Il avait déjà utilisé une quantité impressionnante de piles à faire clignoter sa lampe de poche. Il s'énervait chaque jour davantage. Les choses s'envenimèrent quand il eut tante Clémentine au téléphone.

Ce matin là, Nathalie Legrand donnait toutes les apparences d'être en grande conversation avec sa sœur Clémentine de Ste-Marguerite-la-très-verte. D'une main, elle tenait le combiné du téléphone, de l'autre, elle tortillait une mèche de ses cheveux. « On jurerait qu'elle parle vraiment à quelqu'un », s'étonna Max. « On la fera jouer à Hollywood ! »

La conversation s'éternisait et répétait, en version champêtre, les mêmes idioties que pour le faux camp spatial et l'aussi faux camp musical. Soudain, Max en eut assez et tira sur le bras de sa mère.

— Je veux lui parler, dit-il.

— Quoi ? Tu veux parler à qui ? demanda sa mère.

— Je veux parler à tante Clémentine.

— Tu veux parler à tante Clémentine ? Maintenant ?

— Oui. Maintenant. TOUT DE SUITE.

Max était sûr et certain d'avoir irrémédiablement piégé sa comédienne de mère ! Évidemment, il n'y aurait personne au bout du fil.

— Tiens. Parle-lui. Mais pas trop longtemps ! Nous devons encore discuter, ta tante et moi.

Un peu étonné par la facilité avec laquelle sa mère acceptait de se faire prendre, Max saisit le téléphone. Quelle ne fut pas sa surprise quand il reconnut la voix suraiguë de Clémentine, la grande échalote ménagère, la seule, unique et authentique grande sœur de Nathalie.

— Mmm ? Pardon ? balbutia-t-il étonné.

— Je te demande si tu as hâte de venir chez nous ? Nous t'avons préparé une très belle chambre ! Ta mère m'a raconté que tu avais eu une dure année. Nous allons te faire oublier tout cela. C'est très calme ici, tu pourras te reposer.

— ...

— Max ? Tu es toujours là ?

— Euh...Oui...Oui ! Oui ! Je dois te laisser tante Clémentine ! À bientôt ! On me demande au téléphone !

Sur ce, Max s'en alla, laissant le combiné pendouiller au bout du fil. Sa mère, bouche bée, ne comprit strictement rien à ce qui venait de se passer.

Visiblement sous l'effet d'un choc violent, l'adolescent tituba jusqu'à sa garde-robe.

Allumée-éteinte-allumée-éteinte.

« Quelle est cette histoire ? »

Allumée-éteinte-allumée-éteinte.

« Me serais-je trompé depuis le début ? »

Allumée-éteinte-allumée-éteinte.

Éteinte, clic, clic. Éteinte, clic, clic, clic. ÉTEINTE !

« Ciboulette de ketchup de moutarde forte ! Où sont mes piles de rechange ? Ouf... Je les ai ! »

Allumée-éteinte-allumée.

« Allons ! Allons ! Impossible ! Ce n'est pas le style de mes parents. Ils ne feraient jamais ça. Partir en Grèce comme des millionnaires ? Nous laisser en pension comme des chats encombrants à la S.P.C.A. ? Maximilien Legrand, reprends-toi, TOUT DE SUITE ! Trouve une explication ! Ça presse ! »

Quand Max s'appelait lui-même Maximilien, l'heure était grave. Très, très grave. Mais on l'a déjà dit, Max possédait un optimisme à toute épreuve. Deux ensembles de piles de rechange plus tard, il tenait son explication ! Il se fit même un superbe bleu au front en se frappant fort de la main :

« Non mais quel idiot je suis ! Elles ont presque réussi à m'attraper ! Ma mère est vraiment brillante. Le prix Nobel de la meilleure actrice existe-t-il ? Elle le mériterait et tante Clémentine aussi. C'était un téléphone arrangé ! Toute cette conversation faisait partie du complot ! »

Un peu calmé, Max put sortir de sa garde-robe. Malheureusement, le doute ressemble à une mauvaise chanson qu'on entend au lever et qui s'installe en nous pour le reste de la journée. Plus qu'embarrassant. Du vrai poison!

Ce fameux téléphone empoisonna son existence.

« Il faut que ça finisse! Je n'en peux plus », se répétait-il au moins cent fois par jour. « Je dois découvrir la vérité! »

Vendredi, le dernier jour de juin, une occasion en or se présenta enfin. Bien que ce ne fut pas un vendredi treize, Max sombra dans l'horreur.

IV

Atterrissage forcé

Paul, Nathalie, Alexandre et Augustine se préparaient à sortir.

— Max ! Tu nous accompagnes ? Grand départ demain ! Nous allons faire les courses de dernière minute, il manque toujours quelque chose ! annonça Nathalie.

— Non merci ! J'ai tout ce qu'il me faut. Allez-y sans moi ! Je suis un peu fatigué, je préfère rester à la maison pour me reposer. Demain, la route sera longue.

« Décidément, se dirent ses parents, Max a bien changé tout à coup. »

— Il devient raisonnable, suggéra Paul, son père.

— Tu crois ? interrogea sa mère. Il m'inquiète un peu. Il passe beaucoup de temps dans son placard.

— Dans sa garde-robe, maman. Pas dans son placard. C'est Harry qui a sa chambre dans le placard.

— Harry ? Harry qui ? De quoi parles-tu mon chéri ? demanda Nathalie à Alexandre.

— Harry Potter. C'est Harry Potter qui a sa chambre dans le placard. Max, lui, se cache dans sa garde-robe. Pour se rendre intéressant.

— Ah ! Tu crois ? s'exclama Nathalie, sceptique. Tu as peut-être raison, enfin je l'espère. On y va. Par où commençons-nous ?

Max resta à l'écart tout au long de cette discussion, résistant à la tentation d'aller clouer le bec à Alexandre. Il entendit la voiture familiale reculer dans la rue puis s'éloigner.

Il disposait de trente minutes pour accomplir sa mission, soit la durée maximale de magasinage tolérée par la famille Legrand. Une minute de plus, c'était le désastre assuré. Trente deux minutes et aucun membre de la famille ne s'adressait la parole pendant une semaine.

Max ne savait pas exactement ce qu'il cherchait. Il espérait de tout son cœur trouver spontanément la vérité.

Il fouilla un peu partout.

Il vida le tiroir fourre-tout de la cuisine : un sécateur, des pinces à linge, un tournevis cassé, des pansements, une balle de golf. « Tiens ! Un joueur de golf se dissimule parmi nous ? Il cache bien son jeu ! », se dit Max, surpris. Hormis la balle toutefois, rien de suspect.

Il perquisitionna ensuite le panier où sa mère déposait le courrier : factures, publicités, rappels de facture, coupons-rabais expirés, horaire de la journée pédagogique du huit mai dernier, encore des factures ! « Et moi qui les envie parfois de recevoir autant de courrier ! », pensa Max, soudain plein de compassion pour ses parents. En conclusion, cependant, rien de suspect ici non plus.

Subitement, il vit LA VÉRITÉ. Elle était là. Bien en évidence. Fixée par une banale punaise verte au non moins banal babillard placé à côté du téléphone. Une enveloppe de l'agence de voyages Calypso. Adressée à M. et Mme Paul et Nathalie Legrand.

Pas tellement grande.

Pas tellement épaisse.

Pas tellement lourde.

Vraiment pas lourde du tout.

Mais pas vide non plus.

Max tenait l'enveloppe dans ses mains, précautionneusement, comme s'il s'agissait d'une grenade susceptible d'exploser à n'importe quel moment. Elle devait bien peser cinquante grammes. Peut-être même soixante-quinze. Combien pèse un billet d'avion pour la Grèce ? Combien devrait peser une enveloppe contenant cinq billets d'avion pour la Grèce ?

Max commençait à avoir un horrible pressentiment. Et s'il s'était raconté des histoires pendant tout ce temps ? Et si ses parents partaient réellement tout-les-deux-tout-seuls-sans-les-enfants-en-amoureux ? Si c'était vrai ? Quelle horreur !

Max ne savait plus quoi faire. Plus que dix minutes.

Il n'avait qu'à ouvrir l'enveloppe pour obtenir la réponse à toutes ses questions. « Allez, on ouvre ! », disait une petite voix. « Pas si vite, pas si vite ! », en disait une autre.

Le pauvre croyait tenir son avenir entre ses mains. S'il ouvrait l'enveloppe, son grand rêve de voyage familial risquait de s'évaporer.

Plus que cinq minutes.

Max ferma les yeux, prit une profonde inspiration et avec elle une grande décision.

Drring ! Drrringg !

— Oui, allô!

— Rosalie ?

— Oui, c'est moi.

— Rosalie, c'est Max.

— Oui. Je sais. Je t'avais reconnu. Tu n'es pas encore parti en Grèce, en voyage secret, toi ?

— Rosalie. Je n'ai vraiment pas besoin que tu te moques de moi. Si tu savais ce qui vient de me tomber sur la tête !

Furieux, Max décrivit sa sinistre découverte à son amie. Dans l'enveloppe de l'agence de voyages Calypso, ne se trouvaient pas cinq, mais bien deux billets d'avion, clairement émis aux noms de Nathalie et Paul Legrand. Aucun signe de l'existence de Max, d'Augustine ou d'Alexandre dans cette enveloppe. Ils auraient aussi bien pu ne jamais être nés. Le voyage en famille dans des îles merveilleuses était mort et enterré, assassiné, liquidé avant même d'avoir vu le jour.

— Rosalie ! C'est épouvantable ! Je ne peux pas croire que mes parents soient sans cœur à ce point ! J'ai l'air fin moi avec mes palmes et mon tuba alors qu'on m'envoie au fond des campagnes ! Heureusement, ma valise est bien cachée sous mon lit. Comme on rirait de moi si on la découvrait !

— Pauvre Max ! Je ne sais vraiment pas quoi te dire. J'ai tellement de peine pour toi ! Tu semblais tenir beaucoup à ce voyage.

Se sentant si bien compris, Max se mit à pleurer. Plutôt que de le soulager, ses larmes le fâchèrent davantage. À cause de ses parents, voilà qu'il pleurait comme un bébé. Qu'allait penser son amie ?

Tout à coup, il entendit le son d'une automobile dans l'entrée pavée de sa maison.

— Il faut que je te laisse, Rosalie. Mes parents reviennent du magasin. Je ne veux pas leur parler. Je vais me sauver ! Ils se trompent dangereusement s'ils pensent m'envoyer à Ste-Marguerite-la-très-verte aussi facilement ! Je m'en vais d'ici ! Ne t'inquiète pas, je te rappelle !

Il raccrocha rapidement le téléphone, remit sur le babillard la preuve incontestable de la traîtrise de ses parents et se précipita vers la porte arrière. Mauvais calcul. Les bras chargés de colis, ses parents entrèrent précisément par la cuisine faisant avorter sur le champ toute tentative d'évasion.

Max se réfugia dans sa chambre. Pour bien signifier à tous son immense frustration, il régla le volume de sa chaîne stéréo au maximum. Il ne se présenta même pas pour le souper.

Samedi premier juillet. Date fatidique du départ. Max se sentait plus seul au monde que jamais. Tous les autres affichaient un air ravi. Alexandre n'arrêtait pas de parler de tout ce qu'il ferait au camp spatial. Augustine sautillait et se dandinait sur place, ne contenant plus son excitation. Seuls Paul et Nathalie démontraient un peu de réserve. Mais ils contrôlaient difficilement les flammes qui pétillaient dans leurs yeux. De vrais feux d'artifice !

— Bon ! Alors les enfants ! Vous êtes prêts ? Vous avez tous vos bagages ? En voiture !

— On va commencer par toi Max.

— ...

— On va aller à la gare centrale.

— ...

— Il y a une place pour toi dans l'autobus pour Ste-Marguerite-la-très-verte.

— ...

— Tante Clémentine et oncle Clovis t'accueilleront à la gare du village.

— ...

Les parents de Max échangeaient des regards navrés. Celui-ci n'avait pas ouvert la bouche depuis la veille. Pas mangé. Pas parlé.

Rien. Il feignait de ne plus les voir. Ne sachant rien des scénarios de voyage familial que leur fils échafaudait depuis des semaines, Paul et Nathalie ignoraient pour quelle raison il semblait si fâché. De son côté, absorbé par une tâche exigeant toute son attention, Max ne les aidait aucunement à y voir plus clair. En effet, l'adolescent jouait au caillou. Car les cailloux n'ont jamais de peine. Voilà un fait bien établi. Face à quelqu'un qui ne pleure jamais, ne dit-on pas qu'il a un cœur de pierre ? Max tentait donc désespérément de devenir la pierre la plus dure, le caillou le plus résistant, le rocher le plus inébranlable de l'univers. Malheureusement, il n'obtenait jusqu'à maintenant que des résultats très mitigés. L'entrée à la gare l'acheva. Il se sentait comme un condamné à mort arrivant au lieu de son exécution. Aucun doute possible, on allait vraiment le mettre dans cet autobus et l'expédier vers la lointaine campagne. Son bel optimisme subissait une cuisante défaite. L'odieuse situation s'aggrava encore quand il entendit sa mère le supplier :

— Allez mon beau Maximilien ! Donne-moi un bisou. Tante Clémentine va vraiment bien s'occuper de toi. Elle me l'a promis. Fais-moi un petit sourire !

Cachés derrière elle, Alexandre et Augustine faisaient rouler leurs yeux et mimaient des joueurs de violon. « Un peu plus et elle va se mettre à roucouler ! Si elle pense que me traiter en bébé arrange les choses ! », se dit Max déjà suffisamment humilié sans que sa mère en rajoute.

— Ah ! Ça va maman ! Arrête de me parler comme ça ! Tiens ton bisou. Bon voyage et qu'on en finisse !

Sans accorder un regard à son père, et encore moins à son frère et à sa sœur, Max grimpa dans l'autobus. Avec sa grosse valise, il avait l'air aussi minuscule qu'un petit de première année, le jour de la rentrée. Le cœur de sa mère se serra.

— Nathalie ! Ça se passera bien ! Ce n'est plus un poupon ! Il a douze ans ! Il finira par se calmer ! Tu verras, à son retour, il aura plein d'aventures à te raconter.

Paul avait tort, tout à fait tort... Mais d'un autre côté, il avait aussi raison, tout à fait raison.

V

Arrivée à destination

Max trouva le trajet en autobus d'un ennui mortel. Pour bien décourager toute tentative de conversation de la part de son voisin de siège, il se boucha délibérément les oreilles avec ses écouteurs de baladeur et mit le volume à fond. Message on ne peut plus clair ! Vexé, son compagnon de voyage se plongea dans la lecture de son journal. Dehors, défilaient quelques vaches broutant sans enthousiasme dans des champs plats à perte de vue avec des bâtiments de ferme sans aucun intérêt. À peine Max aperçut-il quelques tracteurs, trop éloignés pour en discerner la marque. L'adolescent aimait bien les *John Deere,* même si les plus beaux tracteurs sont incontestablement les *Massey Ferguson*. Mais, pour être honnête, Max était d'une humeur tellement massacrante qu'il aurait pu voir passer une *Lamborghini Diablo* rouge sans même s'exciter. Le voyage dura très longtemps, comme toujours lorsqu'on est de mauvais poil et qu'on tient beaucoup à le rester.

Après une éternité, il arriva enfin au petit village de Ste-Marguerite-la-très-verte. Il reconnut immédiatement son oncle et sa tante, plantés au milieu de la gare d'autobus. Impossible de les manquer : ils étaient seuls sur le débarcadère. De leur côté, Clémentine et Clovis n'eurent aucun mal à reconnaître leur neveu puisqu'il était le dernier passager du bus. « Ste-Marguerite est vraiment une destination extrême ! Hi ! Hi ! Hi ! », ironisa Max en son for intérieur. Il regarda le drôle de couple chez lequel il allait passer la moitié de ses vacances.

Une grande échalote verte et un oignon espagnol, une carotte et un navet, un poireau et un poivron. À eux deux, oncle Clovis et tante Clémentine évoquaient l'ensemble du potager.

Chez tante Clémentine, tout s'étirait démesurément : cheveux, bras, jambes en allumettes. Oncle Clovis était, au contraire, fort joliment potelé : visage, nez, bedon, presque parfaitement ronds. Il marchait en se dandinant comme un pingouin. Tante Clémentine, elle, se déplaçait en sautillant et en rebondissant à chaque pas comme une girafe montée sur des ressorts.

De sa voix nasillarde, elle souhaita la bienvenue à son neveu :

— Bonjour mon beau Maximilien ! As-tu fais bon voyage ? Comme je suis contente de te voir !

« Tante Clémentine, PREMIÈREMENT : tu ne le sais peut-être pas, mais je déteste qu'on m'appelle Maximilien. J'exige qu'on m'appelle Max. C'est bien assez long comme ça. Et puis les noms en voie d'extinction, j'en ai soupé ! DEUXIÈMEMENT : non, je n'ai pas fait un bon voyage. C'était ennuyant à mourir. Quatre heures d'autobus à regarder des vaches folâtrer dans l'herbe et à voir défiler des granges délabrées ! Par contre, mes parents, eux, vont faire un beau voyage. TROISIÈMEMENT : tant mieux pour toi si tu es contente de me voir. Moi, j'aurais préféré ne pas te voir avant Noël, comme d'habitude. »

Hou la la ! Ce que ça ferait du bien de dire tout ça !

Mais, en jeune garçon bien élevé, Max garda pour lui ces paroles désobligeantes et répondit poliment :

— Bonjour tante Clémentine ! Bonjour oncle Clovis ! Oui, merci ! J'ai fait un très bon voyage ! Moi aussi je suis bien heureux de vous voir ! Toutefois, pourriez-vous m'appeler Max s'il vous plaît ? Je préfère laisser Maximilien à l'école. Max me convient davantage.

La vie est comme ça. Il faut parfois mettre la franchise et son orgueil de côté.

Tante Clémentine et oncle Clovis habitaient une jolie, quoiqu'un peu étrange, maison à l'orée du village de Ste-Marguerite-la-très-verte. Plus haute que large, son architecture laissait deviner qui des deux époux l'avait choisie. Construite sur un grand terrain couvert de fleurs et d'arbres fruitiers, elle voisinait un petit jardin de fines herbes et un potager.

Pas de carré de sable.

Pas de balançoire.

Pas de jouets répandus sur le gazon.

Les enfants de Clémentine et de Clovis n'étaient jamais nés.

Juste à droite de la maison, se dressait un cabanon. Max lui trouva une certaine ressemblance avec les maisons des *Hobbits* du livre *Le Seigneur des anneaux*. Là encore, juste à le regarder, on devinait facilement qui en avait approuvé les plans.

— Bon, bon ! Nous y voilà ! Viens Max que je te montre ta chambre.

L'adolescent suivit son oncle et sa tante dans la drôle de maison. Tout reluisait. Pas un seul petit grain de poussière. Aussi propre qu'un musée. Si Max avait tenté de dissimuler une valise sous un lit ici, elle aurait été découverte aussitôt. Une odeur piquante flottait dans l'air. Un parfum de désinfectant. Tante Clémentine vit Max plisser le nez.

— Oui ! Je sais ! Ça ne sent pas encore très propre ! Ne regarde pas ! C'est affreusement sale ! Je n'ai pas fini le grand ménage. Il a fallu que j'aille te chercher à la gare. Je vais terminer tout cela bientôt. Ce sera plus présentable !

— ...

— Tiens, mets ces pantoufles, continua-t-elle. Je viens tout juste de cirer les planchers.

Max commençait à se méfier.

Tante Clémentine récita le calendrier de ses tâches ménagères.

— Tu vois, le samedi est la journée du grand ménage ; le dimanche je me repose un peu ; le lundi, je fais le lavage ; le mardi, le repassage ; le mercredi, j'époussette partout ; le jeudi, je relave les planchers ; le vendredi, je m'occupe du jardin, du potager et du verger.

Max vit l'oncle Clovis lui faire un petit clin d'œil complice et eut l'intuition qu'ils passeraient certainement beaucoup de temps ensemble… dans le cabanon.

Les quartiers réservés à l'adolescent se trouvaient au dernier étage de la maison, sous les combles. Quand il passa le seuil de la porte, le jeune garçon fut ébloui.

Quel endroit extraordinaire ! Située dans une tourelle, la chambre avait des fenêtres sur trois côtés. Grâce à ses murs d'un jaune maïs éclatant, cette pièce devait sembler ensoleillée même par la plus sombre journée de pluie. Un lit à baldaquin, assez grand pour accueillir une famille de géants, trônait dans la pièce comme un roi au milieu de sa cour. Il était tellement haut qu'il fallait un marchepied pour y accéder. Un marchepied ? Pardi ! Il s'agissait presque d'un escalier ! Les courtines du lit et l'édredon semblaient faits de velours. Des lunes et des étoiles dorées parsemaient le magnifique tissu bleu foncé.

L'adolescent avait beau essayer de se durcir le cœur pour continuer à être de mauvaise humeur, les efforts de son oncle et de sa tante pour bien l'accueillir le touchaient.

Une fois l'examen du lit complété, Max détailla le reste de sa chambre. Le seul mur sans fenêtre était couvert d'étagères du plancher jusqu'au plafond. Une quantité inouïe de livres et de bandes dessinées s'y entassaient. Dans un coin l'attendaient une bergère énorme, assez profonde pour que le père des géants puisse s'y installer très confortablement, une lampe sur pied à abat-jour de soie rouge décoré de milliers de petites perles irisées et un guéridon de bois foncé.

Sur le plancher du côté de la fenêtre, se trouvait une longue table basse. Max aperçut dessus un train électrique magnifique, avec sa locomotive, ses dizaines de wagons, ses montagnes, son village et son clocher.

— C'est mon grand-père qui me l'a donné quand j'étais petit, dit l'oncle Clovis. Il était rangé dans des boîtes au grenier depuis plusieurs années. Quand j'ai su que tu venais nous rendre visite, je suis allé le récupérer. N'est-il pas superbe ? J'ai même des capsules pour faire fumer la locomotive ! Si tu veux, on essaiera de tout faire fonctionner.

D'abord, Max eut le souffle coupé. Puis il se mit à avoir honte de toutes les méchancetés qu'il avait pensées depuis le début de la journée. Ces braves gens ne méritaient pas sa mauvaise humeur. Ses parents étaient loin maintenant, il n'y aurait donc aucune honte à se montrer un peu plus aimable.

— Avec plaisir, oncle Clovis. Je possède quelques talents en électricité. Que cette locomotive ne s'avise pas de nous narguer ! Elle verra de quel bois je me chauffe ! répondit l'adolescent, esquissant son premier vrai sourire depuis longtemps.

Quelques heures plus tard, ils s'installèrent au jardin. Tante Clémentine se remettait de son ménage, oncle Clovis se préparait à faire sa petite sieste. Max avait inventorié la bibliothèque de sa chambre et calculé qu'il lui faudrait au moins vingt journées complètes de pluie pour n'en lire qu'une infime partie.

— Habituellement, Ste-Marguerite-la-très-verte est un village très tranquille, lui expliqua tante Clémentine, tout en sirotant un verre de limonade. Mais dernièrement, il y a eu une série de cambriolages et des actes de vandalisme surprenants. Tout le monde se méfie. Le maire, M. Gagnon, a même décidé d'imposer un couvre-feu ! Interdiction absolue de se trouver dans les rues après le coucher du soleil ! Et il ne plaisante pas ! La semaine dernière, il a mis Mme Laviolette en prison ! La pauvre vieille de quatre-vingt-cinq ans essayait de rattraper son chat fugueur ! Mais le règlement, c'est le règlement ! Aucune exception !

— Aucun discernement, tu veux dire, ronchonna l'oncle Clovis en tirant une bouffée de sa pipe.

— Je suis bien d'accord avec toi ; mais là n'est pas la question. Je veux simplement que mon neveu sache à qui nous avons affaire. Ne joue pas avec le feu Max ! Respecte la loi !

Le principal intéressé hocha la tête, en réfléchissant à toutes les implications de cette passionnante conversation. Finalement, les vacances dans la lointaine campagne s'annonçaient plus amusantes que prévu.

VI

Sabayon à la vanille et autres merveilles culinaires

Dès le lendemain de son arrivée, Max se fit une nouvelle amie. Il explorait les environs quand une délicieuse odeur de cuisine vint lui chatouiller les narines. Elle s'échappait d'une fenêtre de la maison voisine. Bien que maigre comme un clou, Max était TRÈS gourmand. Il se dirigea donc tout droit vers la demeure parfumée où il rencontra une jeune fille à l'allure pour le moins surprenante. Il en avait déjà aperçu de semblables au centre-ville. Elles ressemblaient à des oiseaux du paradis. Mais il ne leur avait jamais parlé directement ; l'occasion ne s'étant jamais présentée. Elle avait les cheveux bleus, les yeux dorés, le nez, le sourcil et le nombril percés ; des *Doc Martens* aux pieds, malgré la chaleur, une longue jupe noire évasée et un petit corsage de dentelle, noir lui aussi.

Une fois le premier choc passé, on la trouvait jolie, même si elle semblait vouloir le cacher. Elle arborait un teint d'albâtre qui inquiéta Max et, avant même de s'être convenablement présenté, il s'écria :

— Mon Dieu ! Comme tu es pâle ! Qu'est-ce que tu as ? Ça va ?

— Dis donc ! Tu n'as pas la langue dans ta poche, toi ! Pour ton information, je suis toute blanche parce que je trouve que cette couleur me va très bien ! En plus, ça fait un beau contraste avec mes vêtements noirs. Le style gothique ? Tu connais ?

— Je n'en suis pas sûr. J'ai déjà entendu parler d'édifices de style gothique, mais tu ne ressembles pas tellement à une église si tu veux mon avis.

— À une église ? Mais de quoi parles-tu ? s'étonna la jeune fille avant de continuer : et puis d'abord, comment t'appelles-tu ?

— Je m'appelle Max.

— Max tout court ?

— Oui. Max. Trois lettres, c'est suffisant.

— Ah bon. Bonjour Max-trois-lettres-c'est-suffisant ! Moi c'est Céleste !

Malgré ces débuts un peu grinçants, ils s'offrirent une belle petite discussion. Céleste passait l'été chez sa grand-mère. D'une minceur inquiétante, presque cassante, elle avait suffisamment préoccupé ses parents pour qu'ils l'envoient quelques semaines à la campagne, avec le vague espoir de la voir se remplumer un peu. Pendant ce temps, ils parcouraient le monde et ses cités. Grands amateurs de vie urbaine trépidante, ils pouvaient se trouver à Paris, à Bangkok ou à Rio de Janeiro. Seules quelques cartes postales permettaient de suivre leur itinéraire.

— Ma grand-mère aimerait que je mange comme une oie! Tu sais? Celles qu'on alimente de force jusqu'à ce qu'elles éclatent? Je ne vais pas me laisser faire! Je suis déjà bien assez grosse comme ça.

Max ne put s'empêcher de soulever un sourcil étonné. Si tante Clémentine faisait penser à une tige d'échalote, Céleste évoquait tout au plus un brin de ciboulette. Mais, sans trop savoir pourquoi, il comprit qu'il valait mieux ne pas s'aventurer sur ce terrain fort probablement miné.

— Si on te gave, c'est avec des plats qui sentent bien bon, dit-il, faisant référence à la bonne odeur vanillée qui se dégageait de la maison.

— …

— Ta grand-mère cuisine ? insista Max, bien décidé à ne pas changer de sujet avant d'avoir goûté à cette nourriture sûrement exquise.

— Non. C'est moi. J'adore cuisiner ! Je ne mange peut-être pas beaucoup moi-même, mais j'aime bien régaler les autres. C'est un sabayon à la vanille. Tu en veux ?

Max n'allait certainement pas refuser, car une aussi bonne odeur ne pouvait pas le décevoir. Ainsi débuta ce qui allait devenir une belle amitié, avec Max attablé, et Céleste se réjouissant de le voir dévorer avec appétit.

— Délicieux ! Tu passes beaucoup de temps à cuisiner ?

— Absolument pas ! Il ne s'agit que d'un divertissement. En fait, je travaille à la bibliothèque municipale depuis le début de l'été. Mais le dimanche c'est fermé, alors aujourd'hui j'ai congé !

— Il y a une bibliothèque à Ste-Marguerite ?

Décidément, ce village lui réservait bien des surprises.

— Eh oui ! Quoique minuscule et un peu vieillotte. Il n'y a même pas d'ordinateur ! Chaque fois que quelqu'un veut emprunter un livre, il faut remplir une petite fiche à la main. Par chance, on ne s'y bouscule pas, sauf les jours de pluie !

— Avec qui travailles-tu ?

— Une vieille mémé très gentille : Mme Laviolette.

— Pas la Mme Laviolette qui a passé une nuit en prison ?

— Bien oui ! Elle-même ! Ainsi tu as déjà entendu parler de cette histoire extravagante ? Il faut vraiment autant de jugeote qu'un égouttoir à spaghetti pour soupçonner Mme Laviolette d'une action illégale.

— Tu sembles bien la connaître ! Pourtant, tu viens à peine de commencer à travailler avec elle !

— Oui, je la connais assez bien !

À cet instant, la porte de la cuisine s'ouvrit et une vieille dame se faufila dans l'embrasure. Elle tenait dans ses bras un gros chat, probablement aussi lourd qu'elle.

— Max, je te présente ma grand-mère, madame Rose Laviolette et monsieur Jasmin, le chat, à l'origine du dossier criminel de sa maîtresse. Mamie, je te présente Max, tu vas l'aimer, promis : il adore manger !

Le sabayon fut bientôt suivi d'une mousse à la framboise bonne à se rouler par terre. L'après-midi fut très animé et passa trop vite. L'heure de rentrer arriva tout à coup. En retournant chez lui, Max se promit de rendre souvent visite à ses deux charmantes voisines.

VII

Cueillette de petits fruits et collecte d'informations

— Tante Clémentine ! Regarde les belles framboises que j'ai cueillies ! Avec de la crème fouettée, on va se régaler ! On pourrait demander à Céleste la recette de sa succulente mousse aux framboises !

— Elles sont superbes Max, et délicieuses aussi, commenta Clémentine, quinze minutes plus tard, en passant un petit bout de langue rose sur ses lèvres barbouillées de jus de framboise.

Tante Clémentine avait en effet une technique toute personnelle pour déguster ses aliments. Entre ses mains, tout prenait des allures de festin savouré patiemment et longuement. Alors que certains sortent de table tellement vite qu'ils oublient immédiatement ce qu'ils viennent de manger, tante Clémentine pouvait consacrer une heure entière à un tout petit chocolat de rien du tout.

D'abord, elle prenait bien le temps d'en observer l'emballage, quelqu'un s'étant certainement donné beaucoup de mal pour le faire aussi joli. Puis elle extrayait le bonbon de sa papillote, dorée de préférence. Ensuite, elle le tenait délicatement entre ses doigts et l'admirait pour en savourer à l'avance toutes les promesses. Elle fermait les yeux, respirait à fond, humait son parfum. Enfin, soigneusement, elle le plaçait dans sa bouche. Jamais, au nom du ciel, jamais, elle ne le croquait! Clémentine ne voulait pas expédier, en quelques misérables secondes, un plaisir qui l'envelopperait de longues et délectables minutes si elle s'y prenait de la bonne façon. Enfin, quand tout semblait irrémédiablement terminé, elle se pourléchait discrètement les lèvres pour être sûre de ne rien laisser. Après ce cérémonial, elle s'autorisait un petit soupir de satisfaction. Bref, Clémentine poussait l'art de la dégustation à des sommets inégalés. C'était le seul moment où elle arrêtait de bourdonner comme une industrieuse petite abeille astiquant tout ce qui reluisait déjà autour d'elle.

Clémentine reprit une framboise entre ses doigts délicats et Max lui raconta la curieuse rencontre qu'il venait de faire.

— Je suis allé cueillir des framboises en face de la maison des Trottier, tu sais à l'endroit où ils ont déboisé? J'ai vu un drôle de bonhomme sur la route. Il ne m'a pas remarqué. Tu comprends, les framboisiers me cachaient. Les plus belles framboises ne sont pas celles qui poussent juste au bord des chemins, celles-là sont empoussiérées et ratatinées. Mais si on s'enfonce un peu plus loin, bingo! Des billes format jumbo! Alors j'étais là, des framboisiers par-dessus la tête, occupé à remplir mon panier, quand j'ai entendu un bruit de pas sur la route. Très silencieusement, j'ai étiré le cou. J'ai vu ce monsieur qui marchait en parlant tout seul et en prenant des notes dans un calepin. Il écrivait à toute vitesse, en regardant la maison des Trottier. Sans s'attarder, comme s'il ne voulait pas être remarqué.

— À quoi ressemblait-il? demanda Clémentine, contemplant encore la deuxième framboise

— À un vieux hippie. Au moins cinquante ans, je dirais. Les cheveux longs, gris, attachés à l'aide d'un lacet. Un béret noir sur la tête. Des lunettes de soleil. Une chemise fleurie.

Une veste de cuir sans manches. Des jeans. Des bottes de cow-boy.

En parlant, Max fermait les yeux, un peu comme s'il se concentrait sur une photographie au fond de sa tête.

— Wow ! Tu l'as vraiment bien regardé ! s'extasia sa tante.

— N'est-ce pas ?! J'entraîne mon esprit d'observation ! Un jour, je serai journaliste ! déclara Max, enthousiaste à l'idée de la belle carrière qui l'attendait. Connais-tu cet homme tante Clémentine ?

— Le connaître ? Pas vraiment. Je dirais plutôt que je pense savoir qui est ton promeneur. Il ressemble à un certain M. Marcel Duguay. Voilà deux étés qu'il passe dans la région. Un drôle de moineau. Toujours en train de se promener, un carnet à la main. Il écoute tout, mais ne dit presque jamais rien. Je lui ai déjà demandé poliment ce qu'il faisait. Il m'a répondu qu'il prenait des notes afin d'écrire un roman ! Une façon déguisée de me dire de me mêler de mes affaires ! Comme si on venait chercher des idées de roman à Ste-Marguerite-la-très-verte. Il doit me croire moins brillante qu'un pot de fleurs, pour présumer que je vais me laisser berner par de telles fables ! Un roman sur Ste-Marguerite ! Il ne se passe jamais rien ici. Sauf cette année, bien sûr. La visite de mon neveu préféré…

Tante Clémentine s'interrompit, le temps de passer la main dans la tignasse de Max, qui pointait déjà dans toutes les directions. Satisfaite du résultat, elle continua :

— Et une série de cambriolages étranges. Mais une fois n'est pas coutume, d'habitude notre village respire le calme et la tranquillité. Pour en revenir à ton M. Duguay ; on ne sait à peu près rien de lui. Il arrive début juin. Il vit seul dans sa roulotte. Il va en ville de temps en temps. Il ne fait même pas son épicerie ici ! Ce qu'on a ne lui suffit pas ! Si jamais tu lui parles, essaie d'en apprendre un peu plus. Dis que tu veux devenir journaliste ! Ce sera une belle occasion de te pratiquer !

Jugeant sans doute qu'elle avait accordé suffisamment de son temps à un personnage s'étant délibérément moqué d'elle, tante Clémentine redirigea toute son attention sur le fruit parfumé qu'elle tenait encore à la main. Le rituel pouvait se poursuivre. L'étape de la contemplation bien maîtrisée, elle passa à la suivante, consistant à humer respectueusement l'aliment avant de le manger. Elle ferma les yeux et se consacra à sa dégustation.

La curiosité de Max était piquée. Sous sa couverture d'écrivain, ce bonhomme cachait-il une autre identité ? Pourquoi s'intéressait-il tant à la maison des Trottier ? Préparait-il un mauvais coup ? Max venait-il de rencontrer ce que les journalistes appellent « un sinistre individu »? Se pouvait-il que M. Duguay soit le voleur tant recherché ?

L'adolescent fit un calcul rapide. Le début des vols remontait à la mi-juin. Selon Clémentine, cela coïncidait avec l'arrivée de M. Duguay. Soudain très intrigué, Max décida de laisser tomber le métier de journaliste.

Il deviendrait détective privé.

Rien de moins.

VIII

Lavage, pêche et couvre-feu

Le lundi, jour de lavage, Max et l'oncle Clovis sentirent qu'ils feraient mieux de s'éclipser un bon moment. Tante Clémentine venait en effet de déclarer que tous les rideaux de la maison devaient être lavés d'urgence. Depuis son lever, elle était entourée de grosses bulles de savon. Elle trottinait d'un bord de la maison à l'autre, puis de haut en bas. Mieux valait quitter le domicile que rester là à l'encombrer.

— Viens avec moi Max. Quand ta tante se met dans de tels états, ça dure habituellement toute la journée. Je t'emmène pêcher.

— Bonne idée ! répondit Max.

Oncle Clovis était notaire, mais peut-être avait-il déjà été guide pour une pourvoirie, au cours d'une autre vie. En effet, son cabanon ressemblait à une vraie caverne d'Ali Baba. En plus des paniers, moulinets, perches et épuisettes, qui font partie de l'équipement standard de tout pêcheur, l'oncle Clovis possédait de véritables trésors : bobines de fils multicolores, plumes de paon et de faisan, poils de chevreuil et queues d'écureuil. Il s'en servait pour confectionner lui-même les mouches avec lesquelles il pêchait le plus royal de tous les poissons : le saumon ! Clovis prétendait même être l'inventeur de la mouche *Blue Charm* qui faisait fureur cet été là. Mais l'homme était, comme tout pêcheur qui se respecte, un grand raconteur d'histoires. Aussi, Max n'accorda-t-il pas beaucoup de valeur à cette affirmation. Chose certaine cependant : oncle Clovis savait pêcher et une journée en sa compagnie ne pouvait se refuser.

Ils se rendirent donc sur un lac tout près du village. Ils y passèrent de bien belles heures, assis dans leur canot, à bavarder. Quelques truites sans cervelle vinrent goûter à leurs hameçons. D'un commun accord, Max et son oncle les déclarèrent tantôt trop petites : « il faut les laisser grandir », tantôt trop grosses : « il faut les laisser pondre leurs œufs ». Finalement, toutes furent remises à l'eau. Certains jours on va à la pêche pour se nourrir, mais pas ce jour-là.

À cette occasion, ils firent la rencontre de M. Émile, venu, lui aussi, faire la sieste dans son canot. Ils eurent tous les trois un bien bel entretien masculin. Il fut question d'énormes poissons, de la nouvelle tondeuse de M. Perron, de la sécheresse... Lorsqu'ils commencèrent à discuter des élections, Max ferma un peu les yeux et s'endormit. Un merveilleux après-midi.

Au retour, les paniers vides, mais le cœur rempli de paix et de solide amitié virile, oncle Clovis eut des propos étranges qui laissèrent Max perplexe :

— Moi si j'étais plus jeune, ce couvre-feu là me titillerait pas mal. À mon âge, on se couche de bonne heure. Couvre-feu ou pas. Mais, je me souviens qu'adolescent, j'adorais braver les interdictions ! Je ne sais pas s'il a pensé à ça, M. Gagnon, notre cher maire qui-sait-ce-qu'il-y-a-de-mieux-pour-nous-quand-nous-ne-le-savons-pas-nous-mêmes. Il y en a certainement d'autres, au village, qui partagent cette opinion. Et peut-être qu'ils ne se couchent pas tous aussi tôt que moi ! Hmm, hmm... Ne va pas écouter ce que je dis là, Max. Je divague. Le soleil a dû me taper trop fort sur la tête. Allez ! Viens ! Rejoignons notre super laveuse de rideaux !

Max ne comprenait pas à quoi voulait en venir son oncle avec son histoire de couvre-feu. Il lui semblait que Clovis l'encourageait à jouer le hors-la-loi. Plutôt surprenant de la part d'un notaire !

IX

Ste-Marguerite by night

Quelques jours plus tard, Max raconta à Céleste l'étonnante discussion qu'il avait eue avec son oncle.

— Je suis d'accord avec lui ! Le maire Gagnon peut bien se prendre pour un général d'armée si ça lui chante, mais il ne peut pas m'obliger à tenir le rôle du soldat obéissant ! s'exclama cette dernière.

— Que veux-tu dire, Céleste ?

— Je veux dire qu'on devrait sortir ce soir. Après le coucher du soleil. Quand il fera noir. Quand il fera très, très noir. Quand ce sera la NUIT !

— Défier le couvre-feu ? Et si on se faisait prendre ? Je ne veux pas finir ma vie en prison, moi !

— Max ! Tu es vraiment peureux ! Je ne pensais pas ça de toi ! Tant pis. Je sortirai toute seule !

Céleste usait d'une stratégie vieille comme le monde qui, neuf fois sur dix, amène une autre personne à faire exactement ce qu'on souhaite qu'elle fasse. Max ne vit rien venir et tomba dans le panneau.

— D'accord ! J'irai avec toi. Je n'ai pas peur. Cesse de m'insulter !

Ils se donnèrent rendez-vous à minuit, au bout du champ situé derrière leurs maisons.

Il y avait là une belle petite forêt. Dans cette belle petite forêt, serpentait un beau petit sentier paisible. À part un écureuil qui le traversait de temps en temps, il ne s'y passait pas grand-chose. Parfois, avec de la chance, on y rencontrait deux amoureux se promenant bras dessus, bras dessous. Avec beaucoup de chance, on pouvait même en voir qui s'embrassaient sur la bouche, les mains partout ! « Pouach ! Quel spectacle ! », se disait Max. De telles scènes dégoûtaient le jeune adolescent persuadé qu'il valait mieux ne jamais tomber en amour plutôt que de faire des trucs aussi répugnants.

Mais, cette nuit-là, disparu le petit sentier ! Une autoroute humaine semblait avoir pris sa place. Une vraie parade de la Saint-Jean-Baptiste ! En effet, depuis la mise en place du couvre-feu, soir après soir, un nombre impressionnant de villageois se rassemblaient dans la forêt ; ce qui prouve, une fois de plus, que ce qui est interdit devient absolument irrésistible.

Certains villageois avaient apporté leurs barbecues portatifs et faisaient griller des hot dogs. Il régnait dans ce boisé une charmante ambiance de fête foraine. Une atmosphère excitante de clandestinité se mêlait aux appétissantes odeurs de viande rôtie.

Bien sûr, on comptait quelques grands absents. Le maire Gagnon pour commencer. Mme Laviolette qui ne voulait surtout pas prendre le risque d'être condamnée à une autre nuit en prison. Oncle Clovis, tante Clémentine et quelques autres aussi qui ne savaient sûrement pas ce qu'ils manquaient. Et M. Duguay qui souhaitait sans doute éviter de faire la conversation. Il y a, en effet, des occasions où même prendre des notes pour un roman ne suffit pas à nous excuser de certaines obligations.

Reste que, grâce aux nombreux participants, la soirée fut très gaie. On alluma un beau feu de joie, on grilla des guimauves et, à tour de rôle, chacun proposa une chanson. Avec sa guitare, Guillaume Leclerc accompagnait la chorale improvisée. Céleste ne le quittait pas des yeux. Max rigolait en cachette. « Et si ces deux-là allaient se promener dans le sentier ? Je les suivrais sans me faire voir, je choisirais le bon moment et je leur foncerais dessus en criant ! Hilarant ! Ils auraient la peur de leur vie ! » Mais Céleste avait beau regarder Guillaume sans relâche, celui-ci ne semblait même pas remarquer ses beaux cheveux bleus. Il devait être aveugle ! Pas de promenade d'amoureux à l'horizon. La lune brillait, quelques étoiles clignotaient dans la nuit et cela suffisait à mettre de la magie dans l'air. Une magie qui permettait d'espérer que, pour une fois, le temps allait s'arrêter. Mais le matin finit quand même par arriver. Chacun rentra chez soi en se donnant rendez-vous la nuit suivante. Quelle bonne idée finalement ce couvre-feu ! Sans lui, tous ces gens seraient restés chez eux et n'auraient pas eu l'occasion de faire plus ample connaissance.

C'est ainsi que les vacances de Max prirent une tournure quelque peu inattendue. *Ste-Marguerite-la-très-verte-by-night*. Qui l'eût cru ?

Mais l'aventure ne faisait que commencer.

Le lendemain, Max se leva très tard. En descendant déjeuner, il sentit sur lui le regard inquisiteur et complice de l'oncle Clovis qui lisait son journal, assis à la table de la cuisine. Sans bouger la tête, l'oncle leva les yeux par dessus ses petites lunettes en demi-lunes. Il observa son neveu avec une immense satisfaction.

— Bonjour mon grand ! Bien dormi ?

— Euh... Oui, oui ! Très bien, merci !

— J'ai cru entendre des bruits inaccoutumés ce matin. Vers cinq heures. Ça ressemblait à un claquement de porte. Et toi ?

— Euh... Non ! Non, non ! Pas du tout. Tu sais mon oncle, avec ma chambre au dernier étage, rien ne peut me déranger.

Clovis le regardait toujours avec son petit air moqueur. Anxieux, Max tartina de miel les deux côtés de sa rôtie, se poissant copieusement les mains durant le processus. Généreux, son oncle fit mine de rien et retourna à sa lecture.

— Ça n'a pas l'air de marcher très fort le couvre-feu de M.Gagnon ! s'exclama Clovis tout à coup.

Max faillit s'étouffer avec sa bouchée.

— Euh... Pourquoi dis-tu ça ?

— Eh bien ! M. Gagnon nous impose un couvre-feu pour contrôler une vague de cambriolages et d'actes de vandalisme. Or, un mois plus tard, on ne parle plus d'une vague, mais bien d'un raz-de-marée ! Encore cette nuit, trois maisons ont été saccagées. Celle de M. Dupuis, celle de Mme Laprise et celle des Trottier. Ils dorment d'un sommeil de plomb ces gens-là ! Ou bien, ils sont complètement sourds ! Comment peut-on abîmer une maison en pleine nuit sans réveiller les propriétaires ?

Max n'écoutait plus. Il savait très bien comment. Il suffisait de s'attaquer à une pauvre résidence sans défense, dont les habitants défiaient le couvre-feu. La nuit dernière, il avait bien ri avec les Trottier qui faisaient cuire des hot dogs pour tout le monde, avant d'applaudir le spectacle de tango de Mme Laprise et de M. Dupuis. Au fond, ce couvre-feu se révélait une véritable bénédiction pour le cambrioleur.

X

Rats de bibliothèque

Un peu plus tard, dans l'après-midi, Max et Céleste se balançaient dans des hamacs. Installés au jardin, derrière la maison de mamie Laviolette, ils profitaient de quelques heures de repos.

— Céleste, j'ai une drôle de question à te poser. Ne te fâche pas !

— Voyons Max ! Pourquoi me fâcherais-je ? Pose-la ta question ! On verra bien !

— Quel âge as-tu ?

— Tu as bien raison, quelle question choquante ! J'ai douze ans, bientôt treize. Pourquoi me demandes-tu ça ?

— C'est ce que je pensais. Et tes parents t'ont donné la permission de te faire teindre les cheveux en bleu ? Ils sont extraordinaires !

— Tu n'y es pas du tout Max. Si tu savais les hurlements qu'ils ont poussés après mon rendez-vous chez le coiffeur. Tout le quartier les a entendus ! Comme si je les assassinais ! Avec tout ce chahut, je m'attendais presque à voir débarquer la police !

— Ils ne t'avaient pas permis de le faire ? s'exclama Max les yeux tout arrondis de surprise. Mais alors, comment t'es-tu débrouillée ? Le coiffeur a accepté de colorer tes cheveux en bleu sans poser de questions ?

— Il suffit d'une bonne planification mon cher ! J'ai montré la carte d'identité de ma grande sœur. On se ressemble beaucoup. Il n'y a vu que du feu. Même chose pour celui qui a fait mes *piercings*.

— Mais après ? À l'école, et tout ?

— Ah là ! Quelles complications ! Il a fallu que je me cache sous un turban jusqu'à la fin de l'année. Et interdiction de porter mes bijoux à l'école. Les religieuses ronchonnaient, offusquées, comme si je les défiais personnellement ! Alors que ma décision ne les concernait absolument pas !

— Qui concernait-elle donc ?

— Disons seulement que je vis des moments difficiles avec mes parents. Ils attendent beaucoup de moi. Parfois, je me sens comme de la pâte à modeler. Connais-tu la déclaration d'indépendance des États-Unis ?

La question étonna Max au plus haut point, « quel rapport entre les États-Unis, la pâte à modeler et la couleur des cheveux ? », songeait-il en tentant de trouver une bonne réponse. Heureusement, Céleste reprit la parole :

— Mes cheveux bleus, mes *piercings*, sont un peu ma déclaration d'indépendance à moi ! Ma façon de leur rappeler qu'ils ne pourront pas me donner la forme qu'ils veulent, que JE décide de ma vie !

— Je comprends, mentit Max qui ne comprenait rien du tout. C'est pour ça qu'ils t'ont envoyée chez ta grand-mère ?

— Oui, un peu. Mais je te le répète : ils me trouvent trop maigre. On n'arrête pas de se chicaner là-dessus. Mon père et ma mère surveillent ce que je mange, m'obligent à me peser devant eux. Ils limitent même mes sorties. L'enfer ! Être séparés pour l'été va nous faire du bien à tous les trois. Au retour, on s'appréciera peut-être davantage. Et puis j'aime ma grand-mère. Elle a pour mission de me remplumer, mais ne se prend pas trop au sérieux. On s'amuse bien ! Grâce à elle, je travaille à la bibliothèque. J'adore ça. Les livres sont ma passion. Ma mère dit toujours que je suis née avec un livre dans les mains !

— Ça te plaît vraiment de travailler à la bibliothèque ? En plein été ? ne put s'empêcher de lui demander Max, trouvant cette idée encore plus surprenante que le fait de vouloir des cheveux bleus.

— Oui, en général. Quoique dernièrement il y a toutes sortes de gens bizarres là-bas, soupira Céleste.

— Bizarres ? Dans quel sens ?

— Eh bien ! Par exemple, il y en a un qui s'amuse à faire le mystérieux. Un individu nommé Marcel Duguay, je crois. Il n'emprunte jamais un livre, mais peut passer des heures à lire sur place. Quand je passe à côté de lui, il pose les bras sur ses bouquins comme s'il ne voulait pas que je sache à quoi il s'intéresse.

— Peut-être qu'il regarde des revues de bikinis !

— Max ! Franchement ! Ma grand-mère ne garde pas ce genre de choses à la bibliothèque MUNICIPALE !

— Je plaisantais ! En fait, je soupçonne cet homme de dissimuler ses véritables occupations. Je crois qu'on devrait se méfier de lui ! ajouta Max en baissant le ton comme si pas même un papillon ne devait entendre.

Il fit alors à son amie une description détaillée du comportement de M. Duguay le jour de la cueillette des framboises. Puis, prenant son air de James Bond, comme dirait Rosalie, il ajouta :

— Et sais-tu QUI a été vandalisé cette nuit ?

— Non, pas encore, mais je sens que tu vas me le dire bientôt.

— M. Dupuis, Mme Laprise et... ?

— Et... ?

— Les Trottier !

— Pas vrai !?

— Oui madame ! Ceux-là même dont le mystérieux M. Duguay espionnait la maison en prenant des notes, juste hier.

— Eh bien !

— Je ne te le fais pas dire !

— Pourquoi voudrait-on vandaliser des maisons ? Qu'y a-t-il de profitable ou de glorieux là-dedans ?

— Excellentes questions ! Malheureusement je n'ai aucune bonne explication à te donner. Mon oncle Clovis raconte que bien des victimes du vandale ne savent même pas si on leur a dérobé quelque chose. D'autres ont rapporté la disparition d'objets pour le moins surprenants. Des fers à repasser tellement vieux qu'ils ne servent probablement plus à rien, des lanternes hors d'usage, des assiettes de métal cabossées. Notre voisin, Monsieur Émile, croit même s'être fait voler une boîte de pentures et de poignées de porte datant de Mathusalem ! Mon oncle pense qu'il a probablement égaré cette boîte. Le pauvre Émile perd un peu la mémoire. Que peut faire un voleur avec tous ces objets inutiles ?

— C'est sans doute une sorte de collectionneur ! Il garde quelques souvenirs des endroits dans lesquels il a réussi à s'introduire ! J'ai déjà lu que certains criminels ne pouvaient résister au désir de conserver un petit objet relié à leur forfait. On a sans doute affaire à un maniaque de cette espèce ! déclara Céleste, plutôt fière de son hypothèse.

— Donc, Monsieur Duguay repérerait des cibles pendant la journée et irait les visiter durant la nuit, alors que tout le village fait la fête dans la forêt ! Oui, oui ! Ça se pourrait très bien !

De plus en plus excité par sa clairvoyance, Max continua sur sa belle lancée :

— Peut-être dissimule-t-il ce qu'il lit à la bibliothèque parce qu'il s'agit de ses propres notes et qu'elles l'incrimineraient. D'un côté de la page, il inscrit l'adresse des maisons à visiter, de l'autre la liste des objets qu'il espère dérober.

— Hypothèse brillante, mon cher Max, je te promets que je le surveillerai ton M. Duguay. Chaque fois qu'il viendra à la bibliothèque, on me trouvera sur ses talons ! Je finirai bien par en savoir un peu plus sur ses lectures ! Je pourrais même demander à Monsieur Joséphon de m'aider.

— M.José... quoi ?

— M.Joséphon ! Affreux comme nom, pas vrai ? Et il n'y a pas que le nom qui soit affreux. Côtoyer ce bonhomme est un vrai supplice. Je blaguais tout à l'heure : jamais je ne lui demanderais de m'aider.

— Ce n'est pas sa faute s'il a un nom pareil, répliqua Max, plein de sympathie pour les pauvres gens affublés comme lui de prénoms inusités, choisis par des parents inconscients.

— Son nom n'est pas en cause. En fait, on ne peut rien lui reprocher à part son attitude générale.

— Céleste ! Tu ressembles à un professeur qui fait des commentaires désobligeants sur un élève sans être capable de dire exactement ce qui ne va pas.

— Tu as l'air de savoir de quoi il retourne ! répondit Céleste.

— Oh oui ! Si tu avais connu mon professeur de troisième année. Mme Agrippine de la Rocha, une vraie harpie. Elle me détestait. J'ai passé une année épouvantable.

Max allait s'enfoncer dans de douloureux souvenirs. Il se secoua avant d'être avalé tout rond par les sables mouvants de ses réminiscences :

— Explique moi un peu ce que fait ce Joséphon.

— Bon, je vais essayer. Vu de l'extérieur, il a l'air gentil, malgré une drôle de manière de s'habiller. Il porte tout le temps un nœud papillon, même quand il fait chaud à mourir. Assez surprenant. Avec ses petites lunettes rondes à la John Lennon et ses complets trois pièces, il semble un peu égaré. Mais avouons que je suis assez mal placée pour juger les gens sur leur apparence !

— C'est le moins qu'on puisse dire !

— Ma grand-mère et pratiquement toutes les autres vieilles dames du village sont en pâmoison devant lui, continua Céleste. Monsieur Joséphon par ci, Monsieur Joséphon par là. Monsieur Joséphon, pouvez-vous venir m'aider avec ceci ? Monsieur Joséphon, pouvez-vous venir m'aider avec cela ? Ah ! Monsieur Joséphon ! Comment faisions-nous avant que vous ne soyez ici pour nous donner un coup de main ? Et lui, toujours aimable, toujours disponible, tellement poli ! Grrrr ! Je n'en peux plus ! En sa présence, ces vieilles dames habituellement si raisonnables se mettent à ressembler à mes amies devant un chanteur de rock !

— Désolé, mais je ne vois pas ce que cet homme serviable a d'insupportable ! Tu exagères sûrement un tout petit peu.

— Je savais bien que tu ne comprendrais pas. Seules les filles saisissent ces choses là, riposta sèchement Céleste.

— Des explications un peu plus claires pourraient aider ! répliqua Max, fronçant les sourcils.

— Eh bien tu vois ! On n'a qu'à parler de lui et on devient de mauvaise humeur ! Tu imagines l'avoir tout le temps à ses côtés !

— Tout le temps à ses côtés ? répéta Max, perplexe. Pour quelle raison se retrouve-t-il si souvent à la bibliothèque ce M. Joséphon ? Il travaille avec ta grand-mère, lui aussi ?

— À mon grand désespoir, oui. Au début, mamie l'a engagé comme simple menuisier, mais elle a appris qu'il était également professeur d'histoire de l'art à l'université. Tu imagines bien qu'elle n'a pas laissé passer une si belle occasion. La bibliothèque déborde de différents volumes d'art. Elle lui a demandé d'en faire le tri et de lui indiquer quels ouvrages valaient la peine d'être conservés et lesquels étaient sans intérêt.

— Céleste ! Tu vas trop vite pour moi ! Attends une minute ! Comment un menuisier se transforme-t-il en professeur d'histoire de l'art et vice-versa ?

— Excellente question, mon cher Watson ! As-tu déjà envisagé la carrière de détective privé ? se moqua gentiment Céleste, avant de continuer. Apparemment, M. Joséphon Brisebois est un ébéniste amateur talentueux qui se remet en contact avec le travail manuel dès que ses tâches universitaires lui en laissent l'occasion. Durant l'été, il offre donc ses services de menuisier et d'ébéniste à qui en a besoin.

— Depuis combien de temps travaille-t-il à la bibliothèque ?

— À peu près un mois et demi. Ma grand-mère ne jure que par lui. Ils passent de longs moments ensemble à étudier tous ces bouquins. Ils ont l'air de vraiment bien s'entendre. N'empêche que je ne l'aime pas.

— Serais-tu jalouse Céleste ? lui demanda malicieusement Max.

— Jalouse ?!!! Mon pauvre Max ! Ça ne va pas du tout aujourd'hui ! Pourquoi voudrais-tu que je sois jalouse ?

— Tu trouves peut-être qu'il te vole ta grand-mère ! Aurais-tu préféré qu'elle pense à toi pour ce travail ? interrogea Max, qui se demandait tout de même s'il n'allait pas un peu trop loin.

Comme il faut généralement connaître les gens depuis un bon moment pour se permettre de tels commentaires, Céleste rétorqua immédiatement d'un ton tranchant :

— On voit bien que tu ne travailles pas avec lui jour après jour ! Il n'y a aucune jalousie là-dedans. Ce serait même le contraire.

— Le contraire de la jalousie ? Il va falloir que tu m'expliques. Je termine tout juste mon primaire, moi ! déclara Max en riant et en essayant d'alléger un peu l'ambiance.

— J'ai l'impression qu'il me fait la cour !

— La cour ?

— Oui ! La cour ! Il ne peut m'apercevoir sans aussitôt m'adresser la parole. Il m'enterre sous des compliments plus débiles les uns que les autres. M. Brisebois se croit poète. Malheureusement ses déclarations sont d'un tel ridicule ! Je te donne un exemple. Hier matin en me voyant entrer dans la bibliothèque, il s'est exclamé :

«ô Céleste ! Divine Céleste !
D'où te viennent ces beaux cheveux bleus ?
Serais-tu un ange tombé des cieux,
Venu mettre un peu de lumière
Dans cette triste vie sur Terre !
Où se cache donc celui qui fait battre ton cœur ?
Comment peut-il supporter d'être loin de toi, durant un seul jour. Durant une seule heure !
Sois mon âme sœur,
Divine Céleste, je promets de t'aimer jusqu'à ma dernière heure ! »

« Elle le trouve risible, mais elle connaît son poème par cœur ! », s'étonna Max. « Bizarres les filles ! Vraiment bizarres ! »

Céleste continua, levant les yeux au ciel :

— En plus, M. Brisebois fait exprès pour me frôler quand je ne m'y attends pas. Quoique maintenant, je le sens venir de loin. Ce menuisier-universitaire empeste le savon à la pomme verte. On jurerait qu'il oublie de se rincer. Monsieur le poète doit penser que ce parfum ajoute une touche inoubliable à ses vers. Heureusement, son odeur le précède et me permet parfois de me sauver avant qu'il ne m'approche !

— Que veut-il ?

— Sortir avec moi j'imagine.

— Pour aller où?

— Max, tu me fais rire ! « Sortir » comme dans « veux-tu être mon amie de cœur ? », lui répondit Céleste, se moquant un peu de son ami.

— Ouach !

À ce moment, Max eut une horrible vision, celle de Céleste et de M. Joséphon en train de s'embrasser comme des amoureux dans le petit sentier de la forêt. Il eut un haut-le-cœur et secoua la tête pour chasser cette image franchement répugnante.

— C'est sûrement un pédophile ! laissa-t-il tomber.

— Allons, n'exagère pas ! Je ne suis plus une enfant !

— Mais oui, Céleste ! Tu n'as que douze ans ! Tu as beau avoir les cheveux bleus et des *piercings* un peu partout, ça ne change rien à ton âge ! Justement, à ce sujet, il a quel âge ce Monsieur Joséphon ?

— Un vrai grand-père ! Au moins quarante ans !

— Tu vois ! C'est ce que je disais ! C'est un vieux dégoûtant qui s'attaque aux petites filles ! Fais attention à lui !

— Max ! Combien de fois dois-je te le répéter ? Je ne suis plus une petite fille ! Arrête de t'inquiéter pour moi ! Je sais me défendre ! Il peut bien me réciter des montagnes de poèmes, je ne m'intéresserai jamais à lui !

Max rigola.

— Il n'a vraiment pas été gâté par la vie... « Joséphon Brisebois, menuisier » !

Au lieu de pouffer de rire, Céleste poussa un long soupir.

— Assez parlé de lui. Je travaille cet après-midi et je devrai le supporter. En attendant, je ne le laisserai pas gâcher mes quelques heures de congé. Et toi Max, mon presque petit frère adoré, qu'as-tu de bon à me raconter ?

Il fut question de pêches miraculeuses, de livres palpitants, de baignades rafraîchissantes, de desserts gourmands et d'une foule d'autres sujets fort intéressants. On oublia M. Joséphon, pour de bon.

XI

Forêt, verger et vieille maison

Les vacances de Max à Ste-Marguerite-la très-verte se déroulaient à un rythme à peu près régulier, ce qui est généralement une excellente indication que les choses se passent bien. Au gré des tâches ménagères de tante Clémentine, Max et l'oncle Clovis organisaient leur horaire de pêche. Ils échappaient ainsi aux bulles de savon, aux planchers fraîchement cirés et interdits d'accès, ainsi qu'aux vapeurs étouffantes s'échappant du fer à repasser. Quand ils revenaient bredouilles de leurs expéditions viriles, ils trouvaient la maison immaculée et tante Clémentine épuisée, mais contente. Ils salissaient alors un peu, pour la rassurer quant à l'utilité de ses ardeurs ménagères. Elle disputait un peu, pour la forme. Tout le monde était heureux. Il y eut quelques jours bénis de pluie pendant lesquels Max put rester en pyjama et s'offrir une vraie débauche de bandes dessinées. Il ne se rappelait même plus pourquoi il avait tant voulu aller en Grèce. Un pays où il fait toujours beau. « Quel ennui ! Mes parents sont bien à plaindre », pensait parfois l'adolescent.

La plupart des nuits, Céleste et lui sortaient dans la forêt, défiant le couvre-feu. Malheureusement, comme cela arrive trop souvent, les assemblées clandestines devinrent peu à peu aussi ennuyantes qu'un match de quilles à la télévision, en plein dimanche après-midi de la mi-novembre.

Ce soir-là, un nouveau rassemblement se tenait dans la pauvre forêt qui regrettait fort sa tranquillité d'antan.

— Psst ! Max !

— Oui, Céleste ? Que veux-tu ?

— Viens ici ! J'ai quelque chose à te montrer.

Max ne se fit pas prier. Il commençait à trouver le temps un peu long. Les gens qui discutaient tout près de lui se querellaient au sujet des quotas de lait imposés aux fermes laitières. Du vrai chinois. Il les abandonna à leur passionnant débat et alla rejoindre sa copine.

Encore une fois, au moins la moitié du village papillonnait dans la forêt. Ces petites fêtes paraissaient de moins en moins improvisées. Deux nuits auparavant, quelqu'un avait même organisé un bingo. Un bingo! Vous imaginez!?

— Que se passe-t-il?

— Rien du tout! Seulement, tu semblais sur le point de t'endormir debout! Je voulais juste te donner une raison de filer!

— Merci chère amie! Soyez assurée de mon éternelle reconnaissance! déclara pompeusement Max, en faisant mine de saluer bien bas, un chapeau imaginaire à la main.

— MAXIMILIEN LEGRAND, comédien! s'esclaffa Céleste. Un jour, tu sortiras de l'École nationale de théâtre, bardé de premiers prix, sollicité par tous les grands imprésarios; un journaliste écrira ta biographie et viendra m'interviewer. Je lui dirai: «oui, je l'ai bien connu à ses débuts, sur la scène en plein air du Festival d'art dramatique de Ste-Marguerite-la-très-verte».

— Si tu me trouves bon acteur, attends de rencontrer ma mère ! déclara Max aussitôt.

Après une brève réflexion, il corrigea ses propos :

— Et puis non, finalement, elle ne jouait pas vraiment la comédie. C'est plutôt moi qui ai trop d'imagination !

— C'est bien compliqué ton histoire ! commenta Céleste.

— Tu ignores à quel point. Un jour, je te raconterai.

— Bon, en attendant ce grand moment, si on allait se promener un peu ?

— *Yes sir* ! Laissez-moi éclairer le chemin pour vous, madame, proposa Max, extirpant de son blouson la lampe de poche qui ne le quittait jamais.

Sans y prendre vraiment garde, Céleste et Max s'éloignèrent peu à peu du sentier. Au début, ils entendaient encore les échos de la fête : conversations animées, éclats de rire, rappels à l'ordre de quelques mamans dépassées par la surexcitation de leurs petits. Graduellement, la musique de la forêt prit le dessus avec le froissement des feuilles, les grenouilles chantant l'amour, quelques bruits de pas affolés de petites bêtes dérangées par des intrus et autres sons peu familiers aux oreilles des jeunes citadins.

— Où sommes-nous ?

— Aucune idée !

— Regarde là-bas, on dirait une clairière !

— Allons-y.

— Tiens ! C'est un verger ! constata Céleste.

— Probablement en attente d'être classé site historique !

En effet, de hautes herbes envahissaient tout. Les branches des vieux pommiers se tordaient dans toutes les directions, affichant une certaine ressemblance avec la chevelure de Max dans ses mauvais jours. Les arbres les plus têtus portaient encore quelques fruits, des pommes miniatures aux formes étranges.

« Probablement immangeables », se désola Max, toujours aussi gourmand. « Quel gaspillage ! »

— Eh ! Max ! Regarde là-bas ! De la lumière !

— Où ça ?

— Là-bas !

Céleste joignit le geste à la parole, orientant Max vers l'endroit où quelque chose brillait.

— Je ne vois rien.

— Je sais ! Ça s'est éteint. Mais il y avait de la lumière tout à l'heure. Je te le jure ! Tiens ça recommence ! As-tu vu ?

— Oui ! Oui ! J'ai vu ! Je ne suis pas aveugle tout de même !

— Qu'est-ce que c'est ?

— Une lampe de poche, répondit Max avec assurance.

— Tu crois ?

— Crois-moi. Les lampes de poche, je connais.

— Ah…

— Que fait-on ?

— On va voir mon cher Max ! C'est peut-être un couple d'amoureux. Peut-être Mme Laprise et M. Dupuis qui en ont eu assez de danser le tango !

— On risque de les déranger !

— As-tu peur ? Je peux y aller toute seule si tu préfères. Attends-moi ici, je te raconterai, gros froussard !

Cette stratégie est vieille comme le monde, on l'a déjà dit. Malheureusement Max tomba dans le panneau, une deuxième fois.

— Cesse de toujours dire que j'ai peur ! D'accord ! Je te suis !

— Ne nous faisons pas remarquer, éteins ta torche.

Ils firent quelques pas.

— Je ne vois plus rien !

— Moi non plus !

— Rallume ta lampe de poche !

— Ils vont savoir que nous sommes là.

— Tant pis ! Je n'ai pas envie de me casser une jambe pour surprendre un vieux couple.

Max obtempéra.

— Vois-tu quelque chose maintenant ? demanda-t-il en éclairant les alentours.

— Non. Tu ne trouves pas que ça sent bizarre ici ? On dirait des pommes pourries.

— Tu crois ? s'étonna Max.

— Crois-moi, l'odeur des pommes pourries, je connais.

C'était au tour de Céleste de répondre avec assurance.

— C'est normal, Céleste, qu'un verger sente les pommes. Plus personne ne vient ramasser les fruits. Ils poussent quand même. Puis tombent. Puis pourrissent.

Mais Céleste ne l'écoutait pas.

— Eh ! On dirait un mur ! coupa-t-elle.

À côté de la paroi, les herbes folles semblaient piétinées. Par endroits, on distinguait même une espèce de vieux plancher de bois noirci.

— Regarde !

— Ça ressemble à des fondations de vieille maison !

— Non ! Ici !

Orientant adéquatement la lampe de poche de Max, Céleste éclairait un gros anneau de métal. Il fallait vraiment être chanceux pour le voir. Du bout des pieds, Max et Céleste écartèrent les herbes séchées recouvrant le sol autour de lui. Ils distinguaient maintenant le contour d'une trappe. D'un même élan, les deux explorateurs agrippèrent l'anneau et tirèrent dessus de toutes leurs forces. La trappe s'ouvrit sans bruit, comme si ses gonds, malgré les ans, baignaient encore dans l'huile.

Une fois la trappe ouverte, on apercevait le haut d'un vieil escalier plongeant vers le sol dans l'obscurité. « À quoi sert de découvrir un escalier si on n'essaie pas de voir où il mène ? », pensa Max. Apparemment, Céleste partageait cette opinion. Sans même se consulter, les deux compagnons descendirent dans le trou sombre et humide avec une insouciance déconcertante.

Derrière un vieux pommier, deux yeux luisaient dans l'obscurité et les observaient, furieux.

— Wow !
— Trop *cool* !
— Tu parles si c'est *hot* !
— *Écœurant !*

Après ces exclamations vides de sens, écorchant au passage toutes les règles de grammaire, de syntaxe et de sémantique que les savants linguistes tentent vaillamment de sauvegarder, Max et Céleste recommencèrent à parler français.

— Quel endroit fabuleux ! s'exclama Max en arrivant dans l'ancienne cave de pierre.

— Fabuleux ? Je ne vois pas ce qu'il y a de « fabuleux » ici. C'est plein de toiles d'araignées, se plaignit Céleste.

— ...

— Ça empeste.

— Tu fais une fixation sur les odeurs. Ça n'empeste pas ! Ça sent les pommes ! Je crois que c'est une ancienne cidrerie.

— Peut-être. Seulement, j'aimerais bien te voir à ma place. Toi aussi, tu finirais par détester l'odeur des pommes si tu devais supporter tous les jours ce Joséphon débile qui se parfume au jus de pommes concentré ! Toutefois mauvaises odeurs ou pas, c'est quand même plein de toiles d'araignées.

— ...

— Penses-tu qu'il y a des souris ? continua Céleste visiblement de plus en plus mal à l'aise.

— ...

— Des rats... Penses-tu qu'il y a des rats ?!!! JE DÉTESTE LES RATS !!!

— Tout le monde déteste les rats, répondit candidement Max, qui trouvait délicieux de voir sa grande amie enfin effrayée par quelque chose.

— J'ai entendu un bruit !

— Tu t'énerves avec des riens.

— Chut ! Max ! Je te le dis ! J'ai entendu un bruit !

— Je n'entends rien !

— Toi, on sait bien. Tu n'entends rien. Tu ne vois rien. Sans MON excellente vision nocturne, nous ne serions pas ici.

— C'est vrai qu'à t'écouter, nous aurions grandement perdu à ne pas découvrir cet endroit absolument magnifique ! répondit Max, fort à propos.

— Je te dis que j'ai entendu quelque chose !

— Certainement nos deux tourtereaux, Mme Laprise et M. Dupuis ! Nous les avons probablement surpris ! You hou ! Mme Laprise ! M. Dupuis ! YOU HOU !

— Maximilien Legrand, tais-toi ! Ce n'est pas drôle du tout. J'ai entendu quelque chose. Je n'aime pas ça. Je sors d'ici ! Tout de suite !

Terrorisée, Céleste s'élança vers l'escalier. Max, contaminé par la peur de son amie, la suivit au pas de course. Il trébucha sur une vieille couverture sale traînant dans un coin. Il ne prit pas le temps de s'arrêter et monta l'escalier à toute vitesse. Une fois dehors, il fonça tête baissée dans quelque chose de mou et de ferme à la fois.

— Ouille ! Tu m'as fait mal ! gémit Céleste.

— Excuse-moi ! Je ne t'avais pas vue !

— Je sais, je sais. Tu ne vois jamais rien ! Allez, on ferme cette trappe et on s'en va !

— Oh oui, madame ! Je ne remettrai plus les pieds ici !

— Moi non plus !

« Ah les canailles ! Que me vaut leur visite ? Tout allait si bien ! », fulmina une ombre accroupie à côté d'un amoncellement d'objets éparpillés sur le sol de terre battue. La vieille couverture sale qui les recouvrait, du moins jusqu'à l'intrusion de Max et de Céleste, gisait un peu plus loin, visiblement déplacée sans précaution. « S'ils ont cassé quelque chose, je les tue ! » L'ombre sinistre continua d'évaluer les dommages que cette visite inattendue avait causé. « Ils ont tout vu maintenant. Pas de temps à perdre. Je dois transporter tout ça ailleurs. Le jour se lève bientôt. Il faut que je me dépêche. PAS QUESTION DE ME FAIRE PRENDRE PAR DEUX MINABLES FOUINEURS ! Je trouverai un moyen de les faire taire sans attirer les soupçons.

Ces curieux regretteront de s'être mis le nez dans mes affaires, surtout la petite punk qui se croit meilleure que tout le monde parce qu'elle travaille à la bibliothèque. Toujours à me regarder d'un drôle d'air quand je suis là. Elle ne perd rien pour attendre celle-là ! »

XII

Recherches, trouvailles et déceptions

Le lendemain matin, tante Clémentine trouva Max un peu pâlot. Elle passa aussitôt à l'action et prépara pour lui son remède maison favori : la salade aux sept fruits. Avec ce remède miraculeux, tante Clémentine jurait pouvoir combattre toutes les maladies. Pendant qu'elle coupait et pelait les ingrédients, elle expliqua à son neveu les bases très scientifiques de sa recette. Elle avait lu beaucoup de magazines et synthétisé les recommandations d'une bonne centaine de nutritionnistes en une recette savoureuse.

— Des bleuets, pour t'empêcher de rouiller ; des fraises pour des dents solides ; des canneberges pour un cœur sous garantie prolongée ; du melon et du cantaloup, pour des yeux de lynx ; des raisins, pour une tuyauterie sans bouchon de circulation et, finalement, des tranches de bananes. Je ne me souviens plus à quoi ça sert, mais ça donne bon goût, c'est sûr !

Max entendait tout cela pour la première fois, mais n'allait certainement pas contredire sa tante.

La cuisinière-apothicaire enleva son tablier et posa un bol énorme devant son neveu. Elle devait vraiment le trouver très, très pâle.

— Tiens ! Mange ! Tu manques de vitamines ! Que dira ta mère lorsqu'elle te verra blanc comme un drap séché sous la pleine lune ?

Max se savait victime d'une grave erreur de diagnostic. Il manquait de sommeil. Pas de vitamines. Toutefois, il préféra garder le silence. Sa tante ignorait tout de ses expéditions nocturnes et cela valait mieux ainsi.

Clémentine attendait, les bras croisés. Dans quelques jours, Max retournerait en ville et elle lui voulait un teint éclatant de bonne santé. Il en allait un peu de sa réputation. Pour la contenter, Max avala donc méthodiquement l'inventaire d'au moins trois fruiteries.

— Mon Dieu ! Max ! Que t'arrive-t-il ? Tu es tout vert !

— Allez-vous me laisser tranquille avec vos commentaires sur ma couleur ? D'abord ma tante qui me trouve tout blanc et qui me fait avaler une charrette de morceaux de fruits et maintenant mon amie qui me trouve tout vert ! As-tu une recette toi aussi ? Vas-tu me gaver de yogourt à la vanille jusqu'à ce que j'explose ou que je reprenne une couleur qui te donnera satisfaction ?!

— Hou la la ! Ça va mal ! Attention chien méchant ! Mords-tu, ou te contentes-tu d'aboyer ?

— Pardonne-moi Céleste. J'ai mal au cœur. Ça me met de mauvaise humeur. J'ai trop mangé. En plus, tante Clémentine m'a rappelé que je retourne chez mes parents dans dix jours.

— Charmante réaction ! Tu ne les aimes pas tes parents ?

— Mais oui, je les aime ! Tellement qu'au début, je n'acceptais pas du tout de venir ici. Je voulais absolument partir en voyage avec eux. J'ai déliré pendant des semaines pour me convaincre qu'il s'agissait d'un voyage familial secret. Ils avaient beau essayer de me prouver le contraire, je tenais à mon histoire à tout prix. Pathétique, confia-t-il en rougissant.

Ce souvenir l'humiliait encore. L'adolescent secoua la tête et reprit son explication :

— Maintenant, je me sens chez moi à Ste-Marguerite. Ma tante est gentille, même si elle prend le ménage trop au sérieux. Oncle Clovis m'emmène à la pêche. Je m'entends bien avec lui. Il s'amuse souvent à faire fâcher Clémentine, mais ce n'est qu'une autre façon de lui dire qu'il l'aime ! Ils ne se fâchent jamais pour de vrai tous les deux. Et puis toi, tu es mon amie. Tu me donnes le goût d'avoir une grande sœur. Ma vraie sœur, Augustine, me donne plutôt envie d'être né en Chine. En plus, après mon départ, avec qui sortiras-tu la nuit ? Guillaume Leclerc ? Il ne te voit pas ! Monsieur Joséphon ? Tu ne peux pas le sentir !

Émue malgré elle, Céleste lui donna une bourrade amicale sur l'épaule.

— Max, je partirai moi aussi ! Ne l'oublie pas ! Je ne séjourne ici que pour reprendre du poids ! Dès la fin de l'été, je retourne en ville.

— Peut-être que tu ne partiras pas ! Tu n'as pas grossi beaucoup, si tu veux mon avis.

— NON ! Je ne veux pas ton avis. Et OUI ! Je vais partir. Je ne passerai pas ma vie ici !

— Tu n'aimes donc pas habiter avec ta mamie ? demanda Mme Laviolette arrivant sur sa vieille bicyclette. La grand-mère de Céleste disparaissait presque sous la gerbe de fleurs sauvages qu'elle venait de cueillir.

— Ah, les histoires de cœur ! soupira Max.

— Moi, je ne me passerais plus de mamie, dit Céleste en serrant Mme Laviolette tellement fort dans ses bras qu'une pluie de pétales voleta autour d'elles. Toutefois, j'ai hâte de retrouver la ville. Max, quant à lui, s'est vraiment pris d'affection pour Clovis et Clémentine et je ne semble pas lui déplaire non plus, ajouta-t-elle en faisant un gros clin d'œil à son ami, pour être sûre de le faire rougir. Reste qu'il s'ennuie aussi de ses parents. Situation sans issue !

— Voyons les enfants ! Ste-Marguerite-la-très-verte ne va pas déménager à son âge ! Elle vous attendra. Sagement. Patiemment. Comme moi. Comme Clovis. Et comme Clémentine. Vous reviendrez nous voir ! C'est aussi simple que cela ! Nous aurons deux bonnes raisons de plus d'espérer le retour de la belle saison !

Laissant les deux vacanciers mijoter ses sages paroles, Mme Laviolette entra chez elle avec son bouquet. Elle ressortit de la cuisine après quelques minutes, poussant un chariot à roulettes couvert de victuailles. Les émotions creusent l'appétit. Aussi, une assiette de sucre à la crème et un gâteau forêt noire plus tard, tout le monde allait un peu mieux. Le mal de cœur de Max disparut complètement, prouvant bien qu'il n'existait aucun lien entre l'énorme salade de fruits de tante Clémentine et ce malaise passager. Céleste oublia, du moins pour quelques instants, qu'elle aimait mieux cuisiner que manger. Elle se barbouilla le visage de chocolat. Mme Laviolette, quant à elle, était fière d'avoir réussi à égayer tout le monde. Elle trottinait joyeusement de la cuisine au patio, servant un verre de lait, rapportant assiettes et couteaux, s'affairant comme une fourmi.

Quand vint l'heure d'ouvrir la bibliothèque, il fut décidé que Max accompagnerait ces dames. En cas d'affluence, il remplirait les fiches servant à garder la trace des livres empruntés. En effet, Mme Laviolette refusait obstinément l'ordinateur que lui proposait le conseil municipal. « Je me suis débrouillée toute ma vie sans ces machines bourdonnantes. Ces livres sont comme mes enfants. Ne vous inquiétez pas. Je connais tout de leurs allées et venues. Ne me compliquez pas la vie inutilement ! », répétait-elle à ses supérieurs.

En chemin, ils croisèrent M. Joséphon transportant son coffre à outils. Comme d'habitude, il profitait des heures de fermeture de la bibliothèque pour offrir ses services aux villageois.

Chez les Bolduc, il avait refait un comptoir de cuisine. Les Trottier le réquisitionnèrent à deux occasions : au début de l'été, pour installer une nouvelle porte à la chambre d'invités ; puis pour réparer le toit, après le vol de leur belle girouette. Les villageois, d'ailleurs, se demandaient encore comment un tel objet avait pu attiser la convoitise d'un voleur. On soupçonna une tornade extrêmement localisée capable d'arracher du toit le volatile métallique et quelques bardeaux de cèdre par la même occasion. On fouilla méthodiquement les champs avoisinants, mais le coq de cuivre verdi demeura introuvable. Les Trottier durent en faire leur deuil. Malgré leurs efforts, ils ne trouvèrent aucune girouette suffisamment jolie pour trôner sur leur toiture. M. Joséphon fit de son mieux ; néanmoins le toit arborait désormais un petit air vide tout à fait désolant.

— On dirait que notre menuisier-ébéniste-professeur d'université-en vacances a des soucis. Il semble bien fatigué ce matin ! Il a peut-être du mal à dormir loin des bruits de la cité ! ricana Max.

— C'est bien possible ! Comme ma mère. Quand elle vient ici, la pauvre dépérit à vue d'œil ! lui répondit tout bas Céleste. Il lui faut sa petite dose quotidienne de smog ! Et son ordinateur ! Sinon, elle tourne en rond. Elle fait peine à voir ! Elle m'a déjà dit que sans bruits de klaxon, grondements d'avion, sirènes de pompier et d'ambulance, elle ne parvient pas à s'endormir ! Elle affirme que trop de silence l'angoisse. Il lui faut des jours pour s'y habituer et parvenir enfin à fermer l'œil. Parfois, elle n'y arrive pas du tout et doit retourner en ville avant de tomber d'épuisement. Là-bas, elle se rétablit en une nuit !

— Il faudrait en parler à M. Joséphon. Il déciderait peut-être de retourner à son université ! suggéra Max.

— Ça vaudrait la peine d'essayer ! plaisanta Céleste.

— Bonjour M. Joséphon, dit poliment Mme Laviolette.

— Bonjour madame. Bonjour vous deux, répondit le menuisier en jetant un regard de travers à Céleste et à Max.

— Oups ! On jurerait qu'il a surpris nos commentaires sur ses troubles de sommeil, chuchota Max à l'oreille de son amie.

— Vous nous accompagnez à la bibliothèque ? proposa Mme Laviolette.

— Évidemment.

— Aurez-vous bientôt terminé les étagères ?

— Oui, j'achève, affirma laconiquement M. Joséphon avant d'accélérer le pas et de mettre fin à cet échange passionnant.

« Pas très jasant mon assistant aujourd'hui », songea Mme Laviolette. « J'espère qu'il n'a pas d'ennuis. Il est d'ordinaire tellement charmant. »

Un peu plus loin, ils rencontrèrent M. Duguay. Comme d'habitude, il ne parlait à personne. Mais ses oreilles tournaient au vent comme des radars à l'affût de la moindre information. Max remarqua le regard noir que M. Joséphon lança au supposé écrivain. « Il ne l'invitera pas à son anniversaire. Ça, c'est sûr ! », pensa-t-il en observant la scène.

Ils arrivèrent à la bibliothèque, mirent le petit carton « ouvert » sur la porte, s'installèrent et attendirent. Ils eurent bien des visiteurs cet après-midi là : des mouches, un papillon, quelques courants d'air, mais aucun bipède en quête d'un bon livre à lire. Le temps radieux incitait sans doute à d'autres occupations.

Max et Céleste profitèrent de ce temps libre pour feuilleter quelques ouvrages sur l'art populaire du Québec. Ils espéraient apprendre ce qui pouvait bien motiver quelqu'un à s'approprier des objets aussi hétéroclites que des fers à repasser, des girouettes et des poteries ébréchées. En effet, l'idée selon laquelle ils faisaient face à un vandale-collectionneur leur paraissait toujours aussi géniale, mais ils ne pouvaient s'empêcher de se demander pourquoi le collectionneur choisissait précisément de telles vieilleries dépareillées. Une fois entré dans les maisons, il aurait tout aussi bien pu s'emparer du dernier lecteur dvd ou de la chaîne stéréo sophistiquée, sans oublier les téléviseurs. Mais non ! Il se contentait de babioles plus surprenantes les unes que les autres. Et s'il fallait en croire Monsieur Émile, il avait poussé la bizarrerie jusqu'à s'emparer d'un ramassis de vieilles serrures et d'anciennes pentures rouillées. Étrange ! Une recherche approfondie s'imposait.

— Max ! Viens voir ça ! appela soudainement Céleste, enthousiaste.

L'adolescent laissa le livre magnifiquement illustré qu'il feuilletait depuis quelques minutes pour rejoindre son amie, penchée sur un tout petit volume à l'allure peu engageante.

— Regarde ! lui dit-elle, montrant de son doigt une photographie en noir et blanc. Un vieux fer à repasser comme celui qu'on a volé à Mme Laprise.

— Comme un des CINQ fers à repasser qu'on lui a dérobés, la corrigea Max, en observant le massif instrument de fonte semblant dater de la préhistoire.

— Encore mieux ! Lis la légende qui accompagne la photo !

Max commença à lire : « de tels objets, d'usage courant au XVIIe et au XVIIIe siècles sont, de nos jours, très appréciés des collectionneurs. Certains antiquaires font même d'excellentes affaires dans la revente de ces outils domestiques. Ils en demandent des sommes qui étonneraient grandement nos arrière-grands-mères. Celles-ci comprendraient mal que l'on veuille acheter à prix d'or de telles vieilleries quand des outils beaucoup plus efficaces sont maintenant disponibles ! »

— Eh bien ! Plutôt surprenant !

— Attends ! Ça continue ! Incroyable tous les objets qui sont énumérés ici : bougeoirs en étain ou en fer blanc, en fer blanc Max ! Tu imagines leur valeur quand ils sont en argent ? Fourchettes à deux fourchons, bassinoires, vieux ustensiles de cuisson, assiettes, girouettes de cuivre. Les habitants de Ste-Marguerite dorment sur des trésors et ne le savent même pas ! s'exclama Céleste. Un peu plus loin, il y a un chapitre très intéressant sur la contrefaçon. Attends que je le retrouve.

La jeune fille fit rapidement tourner les pages jaunies du petit livre ; une vague odeur de moisi s'en dégagea. Visiblement, il n'avait pas été consulté depuis un long moment.

— Bon ! C'est juste ici ! Écoute ça mon cher Max, tu n'en croiras pas tes oreilles : « des faussaires peu scrupuleux essaient parfois de faire passer pour très vieux des meubles dont ils viennent à peine de terminer la fabrication dans leurs ateliers clandestins. Bien sûr, les spécialistes ne se font pas facilement prendre au piège. Mais on ne peut en dire autant du pauvre amateur séduit par une belle armoire de facture ancienne. Le faussaire lui en démontre l'authenticité de mille manières frauduleuses. Il l'étourdit de commentaires sur les pentures vieillottes, les serrures d'origine et les poignées d'époque. Finalement, le marchand attire l'attention du client naïf sur les fameux clous forgés à tête carrée dont on se servait au temps de la Nouvelle-France, affirmant haut et fort que de telles ferronneries ne sauraient mentir ! »

Max leva brièvement les yeux, commençant à comprendre ce qui intéressait Céleste dans ce passage.

— Tiens ! Tiens ! Monsieur Émile n'est pas aussi fou que certains l'ont prétendu ! Il s'est vraiment fait voler une boîte de vieille quincaillerie !

— Poursuis ta lecture ! Le plus intéressant s'en vient !

Max ne se fit pas prier. Le petit livre continuait ainsi : « de pauvres clients se font donc régulièrement attraper et paient des prix exorbitants pour des meubles qui, quoique très jolis, n'en sont pas moins des copies ! Il y a tout un trafic dans le domaine des antiquités, fruit de la collaboration entre quelques antiquaires malhonnêtes et des bandits les approvisionnant en reproductions de meubles d'époque revendus comme des originaux. Tout cela est fort déplorable et rejaillit de la plus vilaine façon sur les autres commerçants dignes de confiance ! »

— Vraiment très intéressant ! approuva Max, vraiment très, très intéressant !

Au même instant, les deux adolescents entendirent la porte de la bibliothèque se refermer en claquant. Ils étirèrent le cou et ne purent qu'entrevoir le dos d'un personnage s'éloignant à toute vitesse en griffonnant dans un petit carnet.

— Tiens ! M. Duguay s'en va à grands pas ! Depuis quand était-il ici lui ? L'as-tu vu arriver ? s'enquit Céleste.

— Non. Je me concentrais sur ma lecture. Je me demande s'il nous a entendus. Nous espionnait-il ? Je te le répète, il faut se méfier de lui !

— Il y a de quoi se méfier, effectivement ! Les vols apparemment étranges de Ste-Marguerite-la-très-verte prennent une tout autre signification maintenant !

— Et les actes de vandalisme aussi ! Les portes arrachées, les girouettes envolées ! Il ne s'agit pas d'actes de saccage gratuits ; mais bien de cambriolages astucieux ! Nul ne pouvait se douter de la valeur de ces objets anodins. Extraordinaire !

— Saviez-vous, les enfants, que même Monsieur le maire a été victime de ce voleur ? demanda Mme Laviolette en approchant tranquillement. Il se demande bien qui lui a dérobé le vitrail qu'il gardait dans sa remise ! Voilà sûrement la réponse ! Ce vitrail provenait d'une vieille église en ruines devenue tellement dangereuse qu'il a fallu se résoudre à la démolir. L'entrepreneur en démolition a sauvé la pièce et l'a laissée à M. Gagnon pour une bouchée de pain. Notre maire ignorait probablement que son acquisition pouvait intéresser un voleur. Sinon il l'aurait mise à l'abri. Ce satané bandit a flairé la bonne affaire et n'a eu qu'à se servir. Quelle triste histoire ! Je vais me faire un bon thé pour me réconforter.

En s'éloignant, la bibliothécaire heurta M. Joséphon, apparemment très concentré sur le choix d'une vis.

— Oups ! Pardon ! Je ne vous avais pas vu ! Je ne vous ai pas fait mal, j'espère ! Je vous rapporte quelque chose de la cuisinette M. Joséphon ?

— Non merci ! Tout va très bien ! lui répondit le menuisier-universitaire sur un ton qui semblait dire le contraire.

Lui jetant un regard incrédule, Mme Laviolette continua son chemin sans insister. La vieille dame se demandait si son cher assistant ne couvait pas une vilaine maladie. « Il n'est pas dans son état normal aujourd'hui. Je devrais peut-être lui conseiller de laisser là son travail et de rentrer se reposer », songea-t-elle généreusement.

Il faut du temps pour préparer un thé digne de ce nom. Pendant la longue absence de Mme Laviolette, Max et Céleste rangèrent les livres consultés. Ils s'installèrent ensuite dans les fauteuils moelleux mis à la disposition des lecteurs et passèrent de forts agréables moments à revisiter en imagination leur aventure de la veille.

Quand ils eurent fini de redécorer leur histoire, la vieille cave était devenue le cachot secret d'un château laissé à l'abandon et détruit par le temps. Un lieu de tortures et de mises à mort d'une violence à faire friser Fifi Brindacier. Les victimes hantaient ces lieux maintenant maudits. Quoique rocambolesque, cette belle reconstruction rendait la fuite précipitée des deux amis un peu moins humiliante.

Emportés par leur récit extravagant, Max et Céleste ne s'aperçurent pas tout de suite du retour de la vieille dame qui tricotait paisiblement à leurs côtés. Sa tasse de thé terminée, elle les écoutait avec beaucoup d'indulgence.

Monsieur Joséphon, quant à lui, poursuivait le tri de ses vis. Il semblait absorbé par la complexité de la tâche.

— Vous savez les enfants, vous n'êtes pas très éloignés de la vérité, leur dit doucement Mme Laviolette.

Pas besoin de parler fort quand on a des nouvelles aussi intéressantes à partager.

D'un seul mouvement, Max et Céleste se tournèrent vers la bibliothécaire.

— Que dis-tu là, mamie ? frissonna Céleste, délicieusement intriguée.

— D'après ce que vous racontez vous êtes tombés sur l'ancienne cidrerie du manoir de Ste-Marguerite-la-très-verte. Les vieux pommiers, les murs tombés, le tout pas très loin de la forêt située derrière chez moi. Oui, oui ! Tout concorde, fit Mme Laviolette en déposant son tricot sur ses genoux.

Elle leva des yeux pétillants vers Céleste et Max qui l'écoutaient attentivement, déjà captivés par son récit.

— C'était une fort belle demeure construite au début du XVIIIe siècle, continua la vénérable bibliothécaire. Malheureusement, elle fut complètement rasée par un incendie, voilà près de soixante-quinze ans. Je m'en souviens comme si c'était hier. Je n'avais qu'une dizaine d'années à l'époque. Triste spectacle ! Les décombres fumèrent pendant des jours et des jours. C'était la deuxième maison à brûler cet été là. L'autre était encore plus vieille. La foudre tomba sur l'étable et le foin sec prit feu comme une allumette. Un peu de vent et hop ! l'incendie se propagea au toit de la maison. À cette époque, on disposait de peu de moyens pour combattre de tels désastres. On se contentait de prier le Seigneur de nous envoyer la pluie.

Si cela vous intéresse, je possède un livre très bien fait sur les vieilles maisons du Québec. On y retrouve même des illustrations de ces deux habitations et un peu de leur histoire. On le regarde ensemble, si vous voulez !

— Oh oui ! J'aimerais bien savoir à quoi cette cidrerie pouvait ressembler autrefois.

— Venez avec moi. Je garde ce livre dans mon bureau pour le moment. Un petit comique l'a pratiquement démembré et l'a jeté aux poubelles comme un vulgaire papier-mouchoir usagé ! Ça s'est passé un peu avant que tu n'arrives pour l'été, Céleste.

— Heureusement pour moi ! Tu m'aurais certainement accusée !

— C'est sûr ! Tes cheveux bleus te rendent suspecte !

— Ah bon ! Et depuis quand ?

— Depuis que je l'ai dit ! gloussa Mme Laviolette, enchantée de la tournure que prenait son après-midi. Peu de gens faisaient appel à ses talents d'historienne ! Elle allait bien s'amuser !

Mais elle ne s'amusa pas du tout.

Le livre mutilé reposait bien sur sa table de travail. L'index référait toujours à la page deux cent sept pour Ste-Marguerite-la-très-verte, juste entre St-Marc-sur-le-lac et Ste-Marie-des-chutes. Mais il manquait la page deux cent sept, la page deux cent huit, et toutes les autres pages avant la page deux cent onze, où l'on présentait des images de l'église historique de Ste-Marie.

— Elles ont été arrachées ! s'écria Céleste.

— Les pages manquantes sont celles qui concernent Ste-Marguerite-la-très-verte, indiqua Mme Laviolette.

— Quel hasard tout de même ! s'étonna l'adolescente.

— Il n'y a pas de hasard là-dedans. Quelqu'un ne veut pas qu'on en sache trop sur cette maison ! affirma Max sans hésiter.

— Le coupable fréquente sûrement la bibliothèque, déclara Max avec enthousiasme.

— Bravo, Sherlock Holmes ! Cela nous place parmi les principaux suspects ! Excitant ! répliqua Céleste.

L'adolescent se renfrogna quelque peu. Pour se faire pardonner sa rudesse, son amie lui adressa un sourire à faire fondre un glacier avant de questionner sa grand-mère :

— Où gardais-tu ce livre avant le malheureux incident ?

— Il était sur la grande table, là-bas, avec les autres ouvrages de référence. Je le laissais bien à la vue, parce que les touristes aiment s'informer sur l'histoire des villages qu'ils visitent. Dans les rayons, personne ne l'aurait jamais consulté.

— Ah... Il y a beaucoup de touristes ici ?

— Euh...Il y en a eu un, cela fait deux ans, je crois. Charmant jeune homme d'ailleurs !

Voyant l'air goguenard de Max et de Céleste, Mme Laviolette jugea nécessaire d'ajouter rapidement :

— Il faut toujours être prêt à tout ! Qui sait quand un autocar plein de visiteurs curieux fera une halte à Ste-Marguerite ?

Mme Laviolette et Max devaient certainement partager quelques ancêtres communs, car un optimisme aussi tenace ne pouvait être qu'une caractéristique transmise génétiquement.

— Bon, bon, cessons de rêver ! déclara raisonnablement Céleste.

Dans son cas, l'optimisme avait visiblement sauté une génération, ce qui peut arriver dans les meilleures familles. Évitant le regard navré de sa grand-mère, Céleste reprit sa réflexion à voix haute :

— Cette belle discussion ne nous avance pas beaucoup. Nous sommes en train de nous monter une passionnante histoire de meurtre et mystère si vous voulez mon opinion ! Un ouragan dans une tasse de thé. Quelqu'un a arraché le chapitre qu'il trouvait intéressant, point final. Comme tu détestes tout ce qui s'appelle nouvelle technologie, chère mamie, il n'a pas pu le photocopier. Parce que des photocopieuses, tu n'en veux pas ! D'ailleurs, notre grande découverte s'avère plutôt modeste quand on y pense un peu. Que contenait cette cave ? Des cadavres ? Des valises remplies de billets de banque ? Mais non ! Rien ! *Niet ! Nothing ! Nada !*

— Tu as très probablement raison, Céleste. N'empêche, quelle coïncidence ! insista son ami.

— Le hasard, Max ! Le hasard ! Tu étudieras ça en maths au secondaire. Tu verras, c'est passionnant !

— Si tu le dis, répondit Max, peu convaincu.

Ils étaient déçus, comme cela arrive souvent quand on se croit promis à de grandes découvertes et qu'on revient les mains vides. Lentement, Céleste, Max et Mme Laviolette retournèrent dans la grande salle de la bibliothèque, maintenant parfaitement silencieuse.

— Eh bien ! Où se cache-t-il celui-là ? Joséphon ? M. Joséphon ! appela Mme Laviolette.

— Parti ! déclara Max.

— Avec tous ses outils, fit observer Céleste.

— Il semble avoir terminé son travail, conclut l'adolescent.

— Oui, sans doute. Je m'attendais quand même à ce qu'il me salue avant de s'en aller. Quelle légèreté ! Après tout le temps passé à inventorier la bibliothèque ensemble. Quoique... Je suis trop dure avec lui. Il faut avouer qu'il semblait très embêté aujourd'hui.

— Mamie ! Arrête ! Tu lui cherches toujours des excuses ! J'ai l'impression que tu l'aimais plus que bien, ce Joséphon Brisebois !

— Mais non, j'essaie simplement de le comprendre ! C'est toi qui ne semblais pas beaucoup l'aimer, déclara Mme Laviolette, un peu piquée.

Max avait l'impression d'assister à une vilaine dispute entre deux perruches. Il se retenait pour ne pas éclater de rire. En preux chevalier, il se dévoua et fit dévier la conversation :

— Dis-moi, Céleste, c'est un hasard ou une coïncidence le fait que M. Joséphon disparaisse justement aujourd'hui ?

— Ni l'un ni l'autre. Moi, j'appellerais plutôt ça un débarras, un bon débarras ! Je ne suis pas aussi altruiste que toi, mamie. Je le trouvais carrément insupportable, prétentieux, obséquieux. Toujours à s'attirer tes bonnes grâces avec ses connaissances sur l'art patrimonial du Québec. C'est vrai qu'il faisait toujours preuve de gentillesse envers toi. Reste qu'il me collait tout le temps. Inutile de le vouvoyer avec un grand « V ». Il refusait de comprendre que je voulais garder mes distances. Il devait plutôt penser que je l'admirais en cachette ! Pouach ! Je ne vais certainement pas m'ennuyer de lui.

Céleste ne croyait pas si bien dire.

— Bon. Ne nous éternisons pas sur ce sujet, trancha Mme Laviolette. Il faut fermer la bibliothèque. Dépêchez-vous un peu et allez donc vous baigner à la piscine municipale avant le souper. Allez ! Allez ! Votre aide fut très appréciée, mais maintenant, je vous chasse ! J'éteins les lumières, je verrouille les portes et je vous suis ! Ne m'attendez pas ! À tout à l'heure !

Et sans leur laisser vraiment le choix, la vieille dame les dirigea fermement vers la sortie.

Max et son amie ne se firent pas prier. Il faisait encore un temps radieux. Le soleil de fin d'après-midi colorait le paysage d'un doré chaleureux et donnait aux objets les plus banals des allures de trésors des mille et une nuits. Céleste se disait qu'avec un peu de chance, Guillaume Leclerc serait à la piscine. Max, quant à lui, rêvait déjà à la crème glacée molle au chocolat qu'il s'offrirait sur la terrasse adjacente. À chacun ses priorités !

XIII

Un malheur n'arrive jamais seul

Viens me retrouver à la bibliothèque à minuit. Je te ferai voir quelque chose d'intéressant. Je veux te le montrer avant de partir. Céleste.

« Eh bien, que voilà un message intrigant ! », pensa Max. « Rendez-vous à minuit à la bibliothèque... quelque chose d'intéressant... avant de partir... Elle fait la mystérieuse, mon amie. Et l'audacieuse aussi. Se rencontrer trois heures après la tombée du couvre-feu, en pleine rue principale ! Nous risquons l'arrestation ! Peut-être cherche-t-elle à visiter une prison moderne ! Histoire de comparer avec le cachot du manoir ! Et puis, que veut-elle dire par avant de partir? Partir pour où? Elle retourne déjà en ville? Ah! Céleste! Pourquoi faire les choses simplement quand on peut les compliquer! C'est ta nouvelle devise? Bon d'accord! Si ça peut te faire plaisir. Je serai à minuit à la bibliothèque! »

Max rangea le message de Céleste dans sa poche. Il l'avait découvert dans la boîte aux lettres après le souper. « Une chance que je suis venu prendre le courrier ce soir! Sinon, tu m'aurais attendu longtemps, Céleste Laviolette! »

Viens me rejoindre à la vieille maison d'hier. J'ai trouvé quelque chose de très surprenant. Max.

« Ouach! Max! », pensa Céleste, « ton papier à lettre empeste! Il a macéré dans le jus de pomme? Retourner dans cette vieille cave pourrie. On s'était pourtant promis de ne plus remettre les pieds là-bas! Quelque chose de surprenant? Pourquoi ne pas m'en avoir parlé cet après-midi? Toi et tes énigmes. Tu veux vivre tes vacances intensément, jusqu'à la dernière minute? Ta tante t'a bouleversé en te rappelant ton départ imminent ? Bon, d'accord mon presque frère. Je ne vais pas te laisser aller là-bas tout seul. Je t'accompagnerai et alors tu me laveras ce petit message cent fois ! Jusqu'à ce qu'il ne sente plus les pommes ! Plus du tout ! »

L'amitié a ceci de particulier qu'elle fait parfois perdre tout sens critique. Jamais Céleste ne mit en doute l'authenticité de ce message signé par Max. Jamais Max ne soupçonna quoi que ce soit d'inhabituel, lui non plus.

Tout se déroula mal.

Pour commencer, Max décida de lire un peu, histoire de passer le temps en attendant minuit. Il choisit un livre de la comtesse de Ségur dont la couverture, fort jolie, semblait lui promettre un bon divertissement. Malheureusement, l'adolescent se lassa vite de cette histoire vieillotte. Il s'endormit, confortablement enfoncé dans son immense fauteuil, le livre ouvert sur ses cuisses. La lampe l'éclairait en plein visage. Il rêva d'une plage et d'un soleil le bombardant de ses rayons. Que n'inventerait-on pas pour dormir en paix ! Il s'éveilla en sursaut, attaqué en rêve par une armée de goélands affamés. L'horloge indiquait minuit et quart.

« Ciboulette de ketchup de moutarde forte ! Céleste va me tuer ! ».

Max descendit l'escalier aussi vite qu'un pompier appelé à la rescousse. Il courut tout le long du chemin sans songer une seule seconde à se cacher des patrouilleurs chargés de faire respecter le couvre-feu. Ce qui devait arriver arriva. Max fut repéré. Un patrouilleur se mit à siffler dans son sifflet au son strident et se lança à sa poursuite. Un deuxième agent se joignit bientôt à lui. Max continua à courir aussi longtemps qu'il le put. Mais les patrouilleurs utilisèrent leurs *walkies-talkies* et appelèrent un de leurs collègues en renfort. L'adolescent fut coincé en arrivant sur la rue principale. Il voyait très bien la bibliothèque, mais aucune trace de Céleste. « Elle s'est probablement cachée quelque part en entendant tout ce tintamarre », songea Max.

— Laissez-moi ! Je n'ai rien fait de mal ! protesta-t-il avec véhémence.

— Rien fait de mal ! Rien fait de mal ! Entendez-vous ça ? Et le couvre-feu ? Que fais-tu du couvre-feu ? demanda le premier patrouilleur.

— Le couvre-feu ?! Quel couvre-feu ? Je viens de la ville, bluffa Max désespérément.

Le patrouilleur le contempla d'un air incrédule.

— Je n'ai jamais entendu parler d'un couvre-feu ! répéta Max d'un ton qu'il espérait convaincant.

— Voyons ! Tout le MONDE connaît le couvre-feu de Ste-Marguerite-la-très-verte. Il y a même eu un reportage là-dessus à la télévision ! Depuis un mois, interdiction de se trouver dans les rues du village après le coucher du soleil, déclara sentencieusement le deuxième patrouilleur.

— Ah !? Pourquoi ? C'est la guerre ? prétendit s'étonner Max.

— Mais non ! D'où viens-tu donc ? D'une autre planète ? Il y a une vague de délits criminels dans la région. Notre maire oblige tous les villageois à rester chez eux la nuit venue, pour contrôler la situation.

— Je vois. Sans promeneurs, vous pouvez mieux repérer les voleurs et les arrêter, avança Max, railleur.

Le patrouilleur, qui se trouvait très important, ne comprit pas qu'on se gaussait de lui et répondit le plus sérieusement du monde :

— Mais non ! Comme tu es bête ! La police s'occupe des voleurs ! Nous, on arrête les gens qui violent le couvre-feu !

À ce moment, entra en scène le troisième patrouilleur, resté jusque là silencieux. Il pointa subitement le faisceau lumineux de sa lampe de poche en plein sur le visage de Max, ce qui, en soit, est déjà très impoli. Puis, il tint des propos extrêmement gênants à rapporter :

— Ah ben ...!

Le bon goût interdit de reproduire ici dans son entier le gros mot prononcé par le patrouilleur frustré, mais vous pouvez imaginer ce que vous voulez.

— Je le reconnais ce petit morveux là, il nous nargue depuis le début. Il sait pour le couvre-feu. C'est Maximilien Legrand ! Le neveu de Clémentine et de Clovis St-Amour ! Il réside à Ste-Marguerite depuis bientôt trois semaines. Il nous raconte des salades ! Embarquez-le ! TOUT DE SUITE !

Max visita donc gratuitement la prison municipale. Il y passa même la nuit, aux frais du maire. Il essaya bien de décliner l'invitation en prétextant un emploi du temps chargé, mais ses geôliers se montrèrent particulièrement insistants. En désespoir de cause, il réclama un avocat. Il avait vu certains filous s'en sortir très bien en utilisant cette technique, du moins au cinéma. Malheureusement, la réalité diffère des films...On lui répondit qu'il n'y avait pas d'avocat au village, seulement un juge de paix allergique aux urgences. Impensable de le déranger pour satisfaire un jeune délinquant capricieux.

Max se dégonfla.

— D'autres questions ?

— …

— Non ?

— …

— Alors, bonne nuit, petit.

La porte de la cellule se referma sur lui.

À la maison, personne ne s'inquiéta de son absence : tante Clémentine dormait profondément, épuisée par sa journée de lavage du lundi. Oncle Clovis, habitué aux escapades nocturnes de son neveu, l'imaginait s'amusant avec ses amis tout en faisant un pied de nez au couvre-feu.

Dans la prison municipale, une longue nuit débutait pour l'adolescent. Un cauchemar. Un cauchemar éveillé. La pire espèce de cauchemar jamais inventée.

Pendant ce temps, Céleste poireautait au vieux manoir, ou plutôt à ce qu'il en restait.

« Maximilien Legrand ! J'espère que tu as VRAIMENT une bonne raison de me faire revenir ici. Je n'aime pas du tout ça. Il fait très noir. VRAIMENT très, très NOIR ! », fulmina la jeune fille.

Noir comme chez le loup en fait et Céleste, sans le savoir, commençait à ressembler de plus en plus au Petit Chaperon rouge.

— Bonsoir, ma jolie ! entendit-elle soudain. La voix semblait surgir de nulle part. Céleste sursauta. Une silhouette familière se détacha de l'ombre.

— Vous ! Que faites-vous ici ?

— Je me promène. Et toi ?

— Mmm... Moi aussi je me promène, répondit Céleste, comme si se promener seule en forêt à minuit, en période de couvre-feu, était naturel.

— Drôle d'heure pour se balader... Drôle d'endroit pour une jeune fille. Surtout pour une jeune fille SEULE !

— Je ne suis pas seule. Je suis avec Max.

— Ah ! Tu me rassures ! Il disait donc la vérité.

— Il disait la vérité ? Vous avez vu Max ? Vous lui avez parlé ?

— Eh bien oui ! Je viens à peine de le rencontrer, il y a quelques minutes. Il n'est pas très loin. Il savait que je te croiserais dans les environs et m'a chargé d'un message pour toi. Attends que je me souvienne. Il fait dire, mais je ne suis pas sûr d'avoir très bien compris, qu'une autre cave existe et qu'il veut te la montrer. Ça signifie quelque chose ?

— Peut-être.

— Si tu veux, je te mène à lui. Il est par là, dit-il indiquant vaguement une zone située à sa droite.

Céleste hésita quelques instants.

— Décide ! Je n'attendrai pas toute la nuit ! Ah ! Et puis tant pis ! Attends-le ici ton ami si tu préfères. Quand il s'apercevra que tu n'arrives pas, il te cherchera lui-même ! C'est tout ! Je ne voulais que me rendre utile !

Faire semblant qu'on ne tient pas vraiment à quelque chose s'avère souvent une technique de persuasion efficace. Céleste ne put y résister. Elle le suivit. Mal lui en prit. La nuit allait se révéler très longue pour elle aussi.

XIV

Des lendemains difficiles

Pour tante Clémentine, mardi est normalement le jour du repassage. Mais, ce mardi-là, les vêtements froissés restèrent loin du fer. Pour commencer, son téléphone sonna vers sept heures et demie du matin.

— Oui, allô?

— Tante Clémentine?

— Oui. Qui est à l'appareil? C'est toi, Max?

— Oui. C'est moi. Puis-je parler à oncle Clovis, s'il te plaît?

— Voyons Max! Si tu veux parler à ton oncle, descends à la cuisine! Il est ici. Il boit son café!

Tout à coup, tante Clémentine prit conscience de l'absurdité de ce qu'elle venait tout juste de dire.

— Max, où es-tu? D'où téléphones-tu?

— Tante Clémentine, je préfèrerais franchement parler à oncle Clovis.

— Que t'arrive-t-il Max? Es-tu à l'hôpital? As-tu eu un accident? Es-tu blessé?

— Tante Clémentine, tout va très bien de ce côté. Ma santé est excellente. Pourrais-tu me passer mon oncle Clovis? S'IL TE PLAÎT? C'est TRÈS important!

— Oui, un instant.

Clémentine, incrédule, tendit le combiné à Clovis.

— Tiens, Clovis, prends le téléphone. C'est Max. Il veut TE parler, à TOI. Il dit que c'est TRÈS IMPORTANT.

Heureusement, elle n'entendit pas ce que Max disait à son oncle. Elle ne perçut que les répliques monosyllabiques de son mari.

— Oui, allô!?

— ...

— Hmmm. Hmmm. Depuis quand?

— ...

— Je peux aller te chercher?

— ...

— J'arrive.

Clovis raccrocha le téléphone, en poussant un profond soupir embarrassé.

— Clémentine, je m'absente quelques minutes. Ne débarrasse même pas la table, je reviens tout de suite.

Il se dirigea négligemment vers la porte, comme si son neveu de douze ans lui téléphonait toujours à sept heures trente le matin pour lui demander d'aller le chercher quelque part. Mais c'était sous-estimer le gros bon sens de Clémentine !

— Une minute, Monsieur ! Va-t-on enfin m'expliquer ce qui se passe ? S'IL VOUS PLAÎT ?

— Clémentine. Ne t'énerve pas, ne t'énerve pas. Je vais prendre Max et, au retour, on s'explique. Je ne peux rien t'apprendre d'intelligent pour le moment. Si je te dis le peu que je sais, tu vas t'inquiéter. Probablement pour rien. Alors, on ne parle pas inutilement. Je ramène Max à la maison et on fait la lumière sur toute cette histoire.

Clémentine eut beau insister, l'oncle Clovis resta ferme sur ses positions. Il partit récupérer son neveu et la laissa mariner dans ses questions sans réponse. Malgré les efforts louables de tous pour lui épargner des inquiétudes inutiles, tante Clémentine eut cent fois le temps d'imaginer le pire. Cela démontre bien que lorsqu'une personne est décidée à s'inquiéter, on ne peut pas l'en empêcher.

— À quoi as-tu pensé ? Veux-tu nous faire mourir ? Que dira ma sœur ? MON DIEU ! Elle me confie son fils un mois et il finit en prison ! Quelle horreur ! Que penseront les voisins ? Nous devrons déménager !

Visiblement, tante Clémentine avait sérieusement mariné.

— Clémentine, je te ferai remarquer que notre charmante voisine, la très respectable Mme Laviolette, a passé une nuit en prison, elle aussi, pour exactement les mêmes raisons. Et tu as tout de suite accusé ce stupide règlement ! Aujourd'hui, tu pourrais en faire autant pour ton neveu.

L'avocat sommeillant dans l'oncle Clovis venait de se réveiller. Une plaidoirie simple, mais efficace !

— Clovis, je ne pourrai jamais gagner une partie de mots de fer* avec toi. Je dois cependant te rappeler que Mme Laviolette est majeure depuis belle lurette. De plus, ce soir-là, elle essayait de rattraper son chat. Quant

* MOTS DE FER : équivalent verbal du célèbre bras de fer. Jeu très populaire dans les familles dont au moins un membre appartient à la communauté juridique. Deux opposants s'affrontent oralement sur un sujet, le premier à manquer de mots pendant plus de dix secondes perd la partie

à Max, il a douze ans et il nous a été confié par ma sœur convaincue de notre sens des responsabilités. Enfin, Max vagabondait à minuit ! MINUIT ! Couvre-feu stupide ou pas, MINUIT, c'est un peu tard, tu ne trouves pas ?

Autre plaidoirie saisissante, il faut bien l'admettre.

Après plusieurs minutes d'échanges verbaux du même ordre, les arguments finirent par s'essouffler quelque peu. Avant de tomber d'épuisement, la famille réussit à tomber d'accord. Premièrement : le règlement était indéniablement ridicule, mais il fallait le contester par les voies officielles et non le défier en cachette. Oncle Clovis, le mieux placé, se chargerait de cet aspect légal. Deuxièmement, Max pouvait se coucher tard s'il le désirait, mais ne devait pas s'absenter sans avertir et ce, jusqu'à ce que la question du couvre-feu soit légalement réglée. Troisièmement, on garderait le silence sur ce fâcheux incident. Les parents de Max bénéficieraient d'une bienheureuse ignorance. Autrement dit, serait appliqué le principe selon lequel ce qu'on ne sait pas ne fait pas mal.

Tout le monde se réconcilia, enfin. Heureusement, car vint l'heure du dîner et chacun sait qu'un repas goûte bien meilleur dans une ambiance pacifique.

Le dîner fut délicieux.

XV

Adolescente en fugue

Céleste vivait des heures passablement moins délicieuses. Elle subissait une sentence non officielle. Peut-être le pire genre de condamnation. Celle où on se retrouve derrière des barreaux sans savoir si on finira par en sortir.

Elle tremblait au fond d'un trou sombre, humide et froid où on l'avait jetée sans ménagement. Elle ne reconnaissait pas cet endroit. Il s'agissait d'une cave semblable à celle de l'ancien manoir. Elle essayait vainement de se réchauffer en s'enveloppant dans ses bras maigrichons. Dans quel guêpier s'était-elle fourrée? Elle se consolait à l'idée que Max dormait en sécurité chez sa tante et son oncle. Elle savait maintenant qu'il n'était pas l'auteur du message l'ayant entraînée dans ce piège. Mais comment aurait-elle pu s'en douter AVANT de se faire prendre ?

Qu'allait-elle devenir ? Quand commencerait-on à s'inquiéter de son absence ? Qui viendrait la délivrer ? Que lui voulait ce sinistre individu ? Céleste glissait sur une pente paniquante. Dans sa tête, un signal d'alarme se mit à retentir : « Arrière toute ! Terrain dangereux droit devant ! Battons en retraite ! Vite ! Pensons à des insignifiances ! »

La nuit s'étira, la journée aussi, et ainsi de suite et ainsi de suite... Pendant les sept jours que dura son séjour forcé dans la cave, Céleste eut le temps de penser à beaucoup de choses. Elle repensa à tous les événements de sa vie plusieurs fois. Elle enviait sa mamie d'avoir quatre-vingt-cinq ans : à cet âge là, on a une belle collection de souvenirs à revisiter. Or, après sept jours de captivité, les souvenirs, Céleste commençait à les imaginer.

Le mardi midi, Max entra dans la bibliothèque municipale en coup de vent. Il lui tardait de raconter ses dernières aventures à son amie. Il espérait également quelques explications : à quoi pensait Céleste en lui donnant rendez-vous à minuit, au cœur du village, durant le couvre-feu ? Qu'avait-elle découvert de si important ?

— Bonjour, madame Laviolette ! Puis-je voir Céleste ? demanda-t-il à la bibliothécaire occupée à classer des livres sur les nouvelles étagères.

— Bonjour Max ! Mais non, Céleste n'est pas ici. Je la croyais avec toi, ou encore au lit à la maison. La coquine ! Elle a découché cette nuit. Ce n'est pas la première fois. Surtout depuis le couvre-feu. Bien sûr, je ne t'apprends rien, lui répondit benoîtement Mme Laviolette. D'habitude, elle fait un petit somme et vient m'aider à la bibliothèque dans l'après-midi. Elle est sans doute rentrée après mon départ, ce matin. Elle doit encore dormir.

— On devrait lui téléphoner !

— J'ai essayé, il y a cinq minutes. Pas de réponse. Ce qui ne veut rien dire, car Céleste dort dur, même le tonnerre ne peut pas la réveiller.

— Je vais aller voir ! lança Max en franchissant au pas de course la porte de la bibliothèque. Il se dirigea à toute allure vers la maison de Mme Laviolette. Quelques minutes plus tard, il en revint, tout essoufflé.

— Personne !

— Personne?

— Non, elle n'y est pas!

— Où se cache-t-elle à la fin? Max, tu ignores vraiment où se trouve Céleste?

— Je ne sais pas du tout madame Laviolette! Elle m'avait donné rendez-vous ici. À minuit. Je me suis fait intercepter par les patrouilleurs avant d'arriver. Je lui ai parlé pour la dernière fois hier après-midi.

— Un rendez-vous à minuit! Pourquoi?

— Je l'ignore! Elle disait seulement avoir découvert quelque chose qu'elle voulait me montrer avant de partir. Max se frappa le front: «avant de partir»!

— Avant de partir? Elle a bien dit «avant de partir»? Ah non! Ne me dis pas qu'elle recommence!

— Recommencer quoi, madame Laviolette?

— À fuguer!

— Elle a déjà fait ça?

— Oui, une fois. Quel affreux épisode! Elle avait quatre ans à l'époque. Je venais de lui refuser une permission ou un bonbon, je ne me souviens plus très bien, enfin... Elle m'a d'abord assassinée des yeux, puis elle m'a tourné le dos, sans dire un mot. Elle est allée à sa chambre, a préparé son baluchon et elle est partie. Comme ça! Elle s'est rendue au bout de la rue. C'est ton oncle qui me l'a ramenée ! Elle se débattait comme une furie. J'étais tellement gênée.

Mme Laviolette regardait au loin en racontant cette histoire. Max la ramena au présent :

— Allons madame Laviolette ! Ça n'a rien à voir ! Céleste n'a plus quatre ans, plutôt douze, et même bientôt treize ! En plus, elle vous adore. Elle ne cesse de le répéter ! Elle ne partirait jamais sans raison. Elle aime beaucoup trop sa mamie. Céleste sait bien que ça vous rendrait malade d'inquiétude !

— Effectivement ! Malgré tout, elle manque à l'appel.

Leur conversation fut brusquement interrompue par l'arrivée inopinée de Monsieur le maire. Sans aucune salutation préliminaire, il leur demanda sèchement s'ils avaient vu M. Joséphon récemment.

— Il doit commencer des travaux de menuiserie à la mairie, CE MATIN ! Il faut le trouver ! insista M. Gagnon.

— Désolé, mais M. Joséphon a terminé les nouvelles étagères de la bibliothèque hier. Il est parti.

— Parti ! Parti ! Quelle bonne blague ! Et mes travaux ? ronchonna-t-il, en toisant Max et Mme Laviolette, comme s'il les tenait personnellement responsables de l'absence du menuisier.

Sans attendre de réponse, M. Gagnon repartit.

— Une vraie passoire ce village ! Un autre disparu ! Cependant, nous savons au moins une chose : Céleste n'a sûrement pas fugué avec M. Joséphon. Elle ne pouvait pas le sentir, dans tous les sens du terme !

— Pour ça, madame Laviolette, je vous donne entièrement raison. Il existe des milliers d'endroits où peut se cacher Céleste, mais certainement pas avec ce Joséphon.

Quand on se trompe, autant le faire avec élégance et conviction.

XVI

Une bien belle confession. Prise I

— Monsieur Joséphon, allez-vous me garder ici encore longtemps ? Ma grand-mère va mourir d'inquiétude. Laissez-moi rentrer chez moi ! Que me voulez-vous ? Que vous ai-je fait ? supplia Céleste, prostrée sur la terre battue, au fond de la cave où on la retenait toujours prisonnière.

— Chère petite Céleste, chère petite Céleste innocente ! « Que vous ai-je fait ? Que vous ai-je fait ? », répéta M. Joséphon en imitant méchamment Céleste. « Je vais te le dire, moi, ce que tu m'as fait ! Pour commencer, tu me traites comme le dernier des imbéciles. Tu ne vois que mes lunettes modestes et ma tenue démodée. Penses-tu vraiment que ça me plaît de passer pour un doux illuminé ? Le professeur d'université fêlé qui joue les menuisiers à rabais durant l'été ! Mais rien de tel qu'une apparente folie douce pour donner confiance aux gens âgés et endormir les soupçons des plus jeunes. On ne se méfie pas de ceux dont on a vaguement pitié. Pourtant, il a fallu que tu viennes mettre ton nez dans mes affaires avec ton gringalet de Max. D'ailleurs, que fais-tu avec ce garçon ? Tu crains les vrais hommes ou quoi ?

M. Joséphon cherchait visiblement à blesser sa captive. Il y réussissait presque. Céleste respira profondément, ferma brièvement les yeux et se mit à l'abri derrière son bouclier imaginaire. Elle entendait toujours, mais les petites flèches empoisonnées et perfides de son ravisseur rebondissaient dorénavant sur elle sans l'atteindre. M. Joséphon continuait :

— Il y a des années que j'excelle dans ce métier ! Je me présente officiellement : Joséphon Brisebois, dénicheur d'antiquités. Tu m'excuseras cependant : je manque de cartes de visite.

Le vilain personnage éclata de rire. Céleste ne voyait pas du tout le comique de l'affaire. Par mesure de prudence, elle esquissa quand même un petit sourire. Mieux valait encourager son kidnappeur à parler. Pendant ce temps, il ne lui faisait pas trop de mal. Flatté par cette réaction, M. Joséphon reprit la parole :

— Au fond, au lieu de se plaindre, les personnes que je dévalise devraient me remercier ! Je les déleste de vieilleries dont elles ne se servent plus et qui ne font que les embarrasser ! Tout a toujours bien fonctionné, jusqu'à cet été. J'aurais dû me méfier. Avec un nom comme Ste-Marguerite-la-très-verte, ce village ne pouvait que m'apporter de vilaines surprises.

L'humeur de M. Joséphon semblait très versatile. Satisfait de lui-même quelques instants auparavant, le voilà qui se fâchait de plus en plus en faisant le récit de ses mésaventures.

— Tu ne pouvais pas te contenter de surveiller la bibliothèque ? Ou bien en profiter pour prendre quelques bains de soleil ? Ta peau blanche te donne un air plutôt malade, ma chérie. Mais non ! Tu décides de jouer au détective avec ton petit ami. Un peu plus et vous faisiez tout rater. Penses-tu vraiment que je traîne à Ste-Marguerite-la-très-verte pour fabriquer des étagères ? Ou pour faire des réparations chez des gens incapables de tenir un marteau et de scier une planche de bois? Certainement pas, mademoiselle qui pense venir du ciel. Pendant que je travaille chez eux à réparer leurs comptoirs de cuisine ou à installer une nouvelle porte, je repère ce qu'ils ont de précieux! Je repasse me servir un peu plus tard. La nuit par exemple! Quand tout le monde sort! Avec un maire comme M. Gagnon, il s'agit d'une vraie partie de plaisir! Imagine! Un couvre-feu! Tout le village dehors en pleine nuit à se donner des frissons et à se montrer aussi brave que son voisin! Je me faufile dans la maison de mon choix et hop! Je me sers!

M. Joséphon s'arrêta, le temps de savourer ces agréables souvenirs. Enchanté, il recommença à pavoiser:

— J'ai même volé chez M. Gagnon! Un peu risqué bien sûr! Je savais qu'il respectait le couvre-feu, lui. Heureusement pour moi, ce que je voulais dormait dans son garage. Un magnifique vitrail du XIXe siècle! Dans son garage! Il méritait de se le faire voler.

— Bien oui, bien oui! Le Robin des bois des antiquités! ne put s'empêcher de lancer Céleste, qui, indignée par les propos du filou, oubliait toute prudence.

— Robin des bois? Et pourquoi pas? C'est un surnom qui me plaît bien! Je cambriole les ignorants pour revendre aux connaisseurs ! répliqua M. Joséphon fier comme un paon.

Cette fois, il dépassait les bornes !

— Vous n'êtes qu'un vulgaire criminel monsieur Joséphon Brisebois. Un vulgaire voleur. N'essayez même pas de vous faire croire le contraire. Vous pouvez bien vous donner de grands airs et porter un nœud papillon ! Il n'en reste pas moins que vous gagnez votre vie en prenant ce qui ne vous appartient pas. Vous êtes un bandit ! De la pire espèce : un bandit instruit ! Quelqu'un qui aurait pu faire beaucoup mieux de sa vie, mais qui préfère les raccourcis !

M. Joséphon fulminait. Ses lunettes reposaient de travers sur le bout de son nez et son nœud papillon était tout de guingois. Il s'approcha de Céleste en la montrant du doigt. Celle-ci baissa les yeux, effrayée.

— Ton opinion m'importe peu. Mais il en va autrement des désagréments que ton intervention m'occasionne. Ceux-là m'importent ÉNORMÉMENT ! Avec tes petites intrigues, tu mets en péril plusieurs semaines d'efforts. J'avais trouvé des cachettes parfaites. Deux vieilles caves de maisons incendiées depuis longtemps. Des endroits auxquels personne ne s'intéresse, à part quelques hurluberlus d'historiens qui les étudient dans leurs lointaines facultés. Je les connais ces gens-là. J'ai passé quelques semestres avec eux, AVANT de trouver la bonne voie pour utiliser mes immenses talents ! Aucun risque qu'ils viennent me déranger sur le terrain ! Ces théoriciens délicats évitent de telles expéditions ! Au fait, merci à ta grand-mère ! C'est elle qui m'a donné l'idée de l'opération, sans le savoir. Elle s'obstinait à me faire l'éloge de son merveilleux village de Ste-Marguerite, me lisant sans relâche un livre sur les vieilles maisons du Québec. Quel ennui ! Jusqu'à ce qu'elle trouve une page avec des plans d'habitations anciennes typiques. Vois-tu, j'ai abandonné l'université avant le cours sur l'architecture traditionnelle du Québec. J'ignorais à quel point cela pouvait être utile !

Sur ces plans, on voyait bien une cave, sous les cuisines. On y accédait par une trappe découpée directement dans le plancher. Un peu plus loin, le bouquin parlait de deux vieilles résidences de ce genre, ici même à Ste-Marguerite-la-très-verte. Une carte du village indiquait assez précisément leur emplacement. Comble de chance pour moi, ces deux maisons n'existaient plus, rasées par des incendies. Il n'en restait que des ruines, mais aucune raison pour que les caves aient disparu ! Je me suis mis à leur recherche. Rien de bien compliqué. Surtout pour un génie comme moi !

Une fois lancé, le cambrioleur n'arrêtait plus, comme s'il cherchait à impressionner Céleste et à la convertir.

— Deux belles caves pour cacher mes trouvailles en attendant de disparaître. Tout fonctionnait comme sur des roulettes. Puis, vous êtes venus mettre vos grands nez là-dedans.

Très fâché, M. Joséphon négligeait de plus en plus son habituel langage ampoulé et fleuri. Ordinairement, le maniérisme du voleur agaçait Céleste, mais pour l'heure, elle aurait bien aimé retrouver le personnage aux expressions un peu alambiquées. Le nouveau M. Joséphon semblait imprévisible et hors de lui. Une dangereuse combinaison.

— À cause de vous deux, j'ai dû tout rapatrier dans cette deuxième cave, continua le voleur, furieux. Et comme si ce n'était déjà pas assez déplaisant, je vais devoir me départir d'une partie de mon butin, pour détourner les soupçons. Il y en a un qui va être surpris, quand on va lui montrer ce qui se cache dans sa remise. Le vieux sacripant ! Toujours à se promener avec son carnet et à espionner. Il a bien failli trouver la première cave lui aussi ! Un matin, je l'ai presque écrasé avec mon auto ! J'arrivais à ma cachette avec le fruit de mes rafles nocturnes. Qui vois-je à deux pas de la trappe ? Ce vieux fouineur dégingandé ! J'ai inventé une histoire abracadabrante comme quoi je m'étais perdu en voulant éviter les patrouilleurs du couvre-feu. Je ne me croyais pas moi-même.

Céleste écoutait ce monologue en tentant d'y comprendre quelque chose. Pour le moment, elle essuyait un échec cuisant. Cela ne paraissait pas préoccuper M. Joséphon, qui semblait parler davantage pour lui-même. Il recommença ses explications fumeuses :

— Que faisait-il là avec son petit béret et son carnet à cinq heures du matin ? Il affirmait souffrir d'insomnie à cause de la chaleur. Plutôt que de gigoter dans son lit, il préférait sortir prendre l'air. Bien oui, bien oui... Et moi je m'appelle Elvis Presley et je chante du rock and roll. Il me prend vraiment pour un imbécile. Je sais bien qu'il m'espionne depuis son arrivée. Il a dû découvrir ma cachette, lui aussi. AVANT que je ne déménage tout ici. Quand on y pense un peu, ce n'était peut-être pas très brillant de laisser mes précieuses antiquités dans une vieille cave même pas fermée à clef, avec juste une couverture miteuse pour les cacher. Sur le coup, pourtant, ça semblait subtil. Comment deviner que vous viendriez fureter dans le coin en aussi grand nombre ? Il s'agissait de maisons ABANDONNÉES, pas de tabagies !

Soufflant comme un vieux cheval courant le Derby du Kentucky, M. Roséphon marchait lourdement d'un côté à l'autre de la cave. Sa mauvaise humeur prenait des proportions alarmantes. Haletant, il reprit son discours :

— Mais je règlerai votre compte. Fais-moi confiance. Pour commencer, je déposerai un ou deux « cadeaux » dans la remise de cet espion. Il aura du mal à expliquer leur présence aux autorités. Ça me laissera le temps de filer loin d'ici. Par contre, je perdrai une partie de mes profits. Pas une grosse partie, j'en conviens. N'empêche, tu me prives de mon bien. Tu me dois une compensation, déclara-t-il menaçant.

— Je ne comprends rien à ce que vous racontez ! De qui parlez-vous ? Qui porte un béret et un carnet ? M. Duguay ? Quel rapport avec Max et moi ? Que nous reprochez-vous EXACTEMENT ? s'enquit Céleste d'un ton suppliant.

— Arrête de faire l'idiote ! Comme si tu ne le savais pas ! Et votre excursion dimanche soir dernier ? Et la cave que vous avez découverte ? Et mon butin sous la couverture ? J'étais tout près, assez pour épier le moindre de vos gestes ! Vous voilà devenus des témoins gênants, chère amie !

Céleste commençait à comprendre. Inutile de dire à ce bandit qu'ils n'avaient rien découvert du tout. Il ne la croirait pas. Et, après une telle confession, elle en savait effectivement beaucoup trop. Quel terrible drame !

— Heureusement, je vous ai retardés avant que vous n'avertissiez la police. « Viens me retrouver à la vieille maison » n'est-ce pas ce que disait le message qui t'a guidée ici ? Celui de ton ami promettait : « Viens me retrouver à la bibliothèque. Je te ferai voir quelque chose d'intéressant. » Je savais bien qu'il ne résisterait pas à ton appel et qu'il n'arriverait jamais à la bibliothèque sans attirer l'attention des patrouilleurs ! Vous vous êtes bien fait prendre ! De vrais débutants ! Grâce à mes missives truquées, ton ami passait la nuit en prison, pour avoir défié le couvre-feu, et toi tu croupissais ici ma jolie. Tu m'attendais sagement pendant que je finissais de réparer vos dégâts. Dorénavant, ton petit Max chéri peut bien raconter ce qu'il veut à la police. Ils ne trouveront plus rien dans la cave du vieux manoir. Tout a été transporté ici. Sauf, bien entendu, pour les quelques objets que j'ai cachés dans la remise de cet abruti.

Apparemment impressionné par sa propre intelligence, M. Joséphon s'autorisa une brève pause ; mais il ne put se retenir longtemps :

— Le plus magnifique, c'est que personne ne connaît l'existence de la cave où nous sommes actuellement. J'ai pris grand soin de détruire tous les indices. Le livre de ta grand-mère ne peut plus me nuire. J'ai déchiré puis brûlé le chapitre sur Ste-Marguerite. Brûlé ! Réduit en cendres ! Quel redoutable adversaire je fais ! Un véritable Arsène Lupin !

Monsieur Joséphon semblait sur le point de se donner de grandes claques de congratulation dans le dos.

— Personne ne va se rappeler que cette vieille cave existe. Et pour ma part, je ne m'éterniserai pas ici. Juste le temps de déterminer ton sort.

Céleste le regardait, affreusement effrayée. Quel gâchis ! Quel affreux gâchis ! Un mauvais vaudeville. Le plan de M. Joséphon était tellement tiré par les cheveux qu'il risquait de réussir. Céleste avait déjà lu quelque part que pour arrêter un criminel, il fallait réussir à se mettre à sa place et prévoir ses prochaines actions. Or, aucune personne sensée ne pourrait y parvenir avec cet escroc déroutant, mégalomane de surcroît, se comparant avec les grands voleurs de l'histoire : Robin des bois pour commencer et maintenant Arsène Lupin, le célèbre gentleman-cambrioleur.

L'épouvantable filou semblait très fier de sa harangue. Pour une fois, il se sentait plus fort que Céleste. La peur de la jeune fille lui faisait extrêmement plaisir. Souhaitant en profiter le plus longtemps possible, il reprit la parole :

— Ma petite Céleste chérie, tu as même eu la gentillesse d'avertir Max de ton départ imminent. Personne ne s'angoissera pour toi avant un bon moment. Avec tes cheveux bleus, ton sourcil, ton nez et ton nombril percés, tout le monde croira à une fugue ! On finira par te chercher, mais certainement pas à Ste-Marguerite-la-très-verte. Nous allons passer un bon moment ensemble tous les deux, un très, très bon moment, ricana M. Joséphon avec un petit rictus pas rassurant pour deux sous.

Céleste avait l'impression que la cave se resserrait sur elle. Elle étouffait dans les vapeurs douceâtres du parfum à la pomme de son ravisseur. Une odeur qui imprégnait tout ce qu'il approchait.

XVII

Tout est bien qui finit bien. Prise I

Mercredi, jeudi passèrent sans nouvelles de Céleste. Joséphon avait vu juste. Tous les villageois attribuèrent la disparition de la jeune fille à l'une de ses excentricités. « On sait bien. Quel mauvais genre ! Des cheveux bleus ! Des bijoux un peu partout ! Aucune surprise à ce qu'elle fugue ! Pas besoin des services d'un grand devin pour prédire que ça finirait par arriver. Quelle sans-cœur ! Pensez-vous qu'elle a réfléchi une seule minute à l'inquiétude qu'elle causerait à sa grand-mère ? Pauvre Mme Laviolette ? Ses quatre-vingt-cinq ans l'ont rattrapée tout d'un coup », médisaient allégrement les bonnes gens.

— Elle a dû se sauver pour retourner en ville rejoindre les jeunes de son espèce ! Notre village devait l'ennuyer au plus haut point ! répondit Monsieur le maire à Mme Laviolette et à Max venus lui faire part de leurs inquiétudes. Pas question de déranger la police pour si peu !

« Pour si peu, pour si peu. Il peut bien parler M. Gagnon », se lamentait Max, « il ne connaît pas du tout Céleste ! Il se laisse aveugler par ses cheveux bleus ! Il n'a AUCUNE idée de qui elle est vraiment. »

Mme Laviolette et Max quittèrent la mairie, découragés par l'intransigeance des autorités. Ils tentèrent de communiquer directement avec un policier, mais l'inspecteur à qui ils parlèrent leur recommanda tout bonnement de se calmer un peu. Très habitué aux prétendues disparitions des adolescents, il se voulait rassurant : Céleste rentrerait d'elle-même dans un jour ou deux.

La grand-mère de Céleste tâcha ensuite de rejoindre les parents de la disparue. Aucun succès de ce côté non plus. Ils pouvaient être à New York, à Hong Kong, à Moscou ou dans n'importe quelle grande ville du monde. Persuadés que leur fille passait ses vacances dans l'endroit le plus sécuritaire qui soit, ils voyageaient le cœur léger sans se douter de ce qui se déroulait à Ste-Marguerite.

Max ne croyait pas du tout à la thèse de la fugue. Chez tante Clémentine, il dénicha une vieille penderie servant à entreposer les vêtements hors saison. Elle était très inconfortable et exhalait une désagréable odeur de naphtaline. Il s'y installa pour réfléchir et fit clignoter sa lampe de poche des heures durant. Allumée-éteinte-allumée-éteinte. Aucune idée lumineuse ne lui venait à l'esprit. Allumée-éteinte-allumée-éteinte. Qu'était-il donc arrivé à son amie ?

Le lendemain, vendredi, grande agitation à la mairie !

— Appelez la police ! VITE ! criait le maire tout énervé, nous venons de recevoir un appel téléphonique anonyme ! Nous devons faire un tour du côté de la roulotte de cet étrange M. Duguay. Il semble qu'un « beau paquet » nous attende dans sa remise ! Un beau gros paquet relié aux cambriolages que nous déplorons depuis le début de l'été.

Dès le samedi, le journal municipal titrait en première page :

Série de cambriolages élucidée à Ste-Marguerite. Le principal suspect est arrêté!

Juste sous ce gros titre, se trouvait une photographie montrant un homme vraisemblablement abasourdi, les cheveux hirsutes, menotté et encadré par deux policiers visiblement très satisfaits d'eux-mêmes. En arrière-plan, une roulotte et une remise. Dans l'article, on pouvait lire :

« Depuis la mi-juin, une véritable épidémie de cambriolages affligeait la région de Ste-Marguerite-la-très-verte. En effet, plusieurs résidents de ce paisible village furent victimes d'un audacieux voleur. Celui-ci semblait attiré par de vieux objets dont les propriétaires méconnaissaient la valeur. Girouettes, vieilles assiettes, paires de mouchettes ! Rien de trop bizarre pour notre entreprenant antiquaire ! On raconte même qu'il a dérobé les pentures et la serrure d'une vieille porte de maison. Au retour de ses propriétaires légitimes, celle-ci gisait par terre, sortie de ses gonds.

Pour endiguer cette vague de méfaits, le maire de Ste-Marguerite-la-très-verte, M. Jean-Louis Gagnon, a dû imposer un couvre-feu. Quoique contestée, notamment par le notaire du village, M. Clovis St-Amour, cette procédure inhabituelle semble finalement avoir porté fruits. Hier, suite à un coup de fil anonyme à la mairie, des policiers ont fouillé la propriété louée par M. Marcel Duguay, un vacancier saisonnier. Ils ont découvert, dans sa remise, certains objets volés au cours des dernières semaines. Quelques chanceux se sont donc vu restituer leurs biens, en partie ou en totalité. Parmi ceux-ci, Monsieur le maire lui-même qui, sans doute récompensé par la Providence, a retrouvé son magnifique vitrail, malheureusement un peu abîmé.

Il doit cependant être noté, à regret, que la grande majorité des objets dérobés aux honnêtes citoyens de Ste-Marguerite n'a pas été retrouvée par les policiers. Ceux-ci soupçonnent que M. Duguay les écoulait auprès de complices lors de ses fréquents voyages hors de la région. Des antiquaires peu scrupuleux devaient s'approvisionner auprès de lui sans trop poser de questions ! Peut-être n'est-ce là que la pointe d'un trafic fort lucratif ! Pour tout commentaire, M. Duguay a déclaré qu'il s'agissait d'un complot organisé par des envieux, pour lui nuire et qu'il n'avait strictement rien à se reprocher. Interrogés, des voisins ont admis avoir toujours trouvé cet homme plutôt étrange. « Il ne parlait à personne. Mais il *écoutait beaucoup. On le voyait déambuler un peu partout, toujours un petit carnet noir à la main. Il notait mille et un détails en marmonnant tout seul. Sans doute des informations relatives aux prochains endroits qu'il comptait dévaliser ! Jamais un mot à qui que ce soit, sauf s'il y était absolument obligé. On comprend bien pourquoi aujourd'hui ! »*

Voici donc élucidée une série de méfaits qui occasionna bien des maux de tête aux autorités. Ste-Marguerite-la-très-verte peut dorénavant respirer plus tranquillement. »

Par **Jocelyn Jolicœur**,
journaliste au Ste-Marguerite Express.

Le maire Gagnon se frottait les mains, ravi.

— Faites-moi penser d'envoyer une bonne bouteille de whisky à ce Jolicœur ! dit-il à sa secrétaire. C'est très bon pour les élections, un article de journal comme ça ! Très, très bon ! Un très bon effet sur l'électeur ! Garanti !

Pour Max, l'élucidation des cambriolages ne présentait qu'un seul avantage : la levée du couvre-feu. Il pouvait désormais circuler en toute liberté, le jour comme la nuit. Malheureusement, malgré des séances de penderie rapprochées et prolongées, l'adolescent ne progressait aucunement dans son enquête. Céleste manquait à l'appel depuis six jours. Une éternité. Il commençait à la croire partie de son plein gré, comme le stipulait son message. Pour la centième fois de la semaine, il sortit de sa poche le bout de papier chiffonné et le relut : « Viens me retrouver à la bibliothèque à minuit. Je te ferai voir quelque chose d'intéressant. Je veux te le montrer avant de partir. » Qu'est-ce que cela pouvait bien vouloir dire ? « Eh bien moi, je vais montrer ce message à ta grand-mère, Céleste ! Peut-être y verra-t-elle quelque chose qui m'a échappé ! », se dit Max, en désespoir de cause.

Enfin ! Une bonne idée !

XVIII

On reprend tout à zéro

— Tu dis que Céleste t'a fait parvenir cette lettre avant de disparaître ? s'exclama Mme Laviolette, éberluée. Impossible ! Ce n'est pas du tout son écriture ! Suis-moi.

La vieille dame se dirigea à grand pas vers le bureau qui occupait tout un coin de son salon. Elle ouvrit le plus grand tiroir et en sortit une imposante liasse de papiers réunis par un large ruban bleu.

— Voici toutes les lettres que m'a envoyées Céleste depuis qu'elle sait écrire. Observe bien les plus récentes. Vois cette superbe calligraphie ! Aucun rapport avec l'écriture banale employée dans ce message.

Effectivement se dit Max, en comparant les deux écritures.

— Si ce n'est pas Céleste, qui a bien pu rédiger ce mot ? Et pourquoi ?

— Je l'ignore Max. Tout me paraît si embrouillé ! Je suis tellement inquiète et affreusement fatiguée. Comme j'aimerais au moins rejoindre ses parents. Même si cela me déplaît, il faut les mettre au courant. Et puis Céleste me manque tant. Elle était mon rayon de soleil, mon petit bout de ciel bleu…

— Reposez-vous, madame Laviolette. Je vous laisse tranquille. Moi, je vais aller mijoter tout ça un peu encore. Je reviens vous voir plus tard, quand j'aurai accompli un miracle ! déclara Max avec une assurance sans doute feinte.

Plutôt que d'aller réfléchir à nouveau dans la penderie puant la naphtaline, Max décida de retourner jeter un coup d'œil au vieux manoir. En plein jour, l'endroit effrayait moins. Entre les vieux pommiers tordus, poussaient des fleurs sauvages : achillée millefeuille, vesse jargeau, chicorée sauvage, marguerite et bouton d'or. Partout voltigeaient des papillons et des abeilles. On entendait chanter des chardonnerets, et croasser quelques corneilles. Dans la forêt, un écureuil protestait bruyamment contre un voisin trop envahissant et on entendait son cri courroucé. Quel contraste avec le lieu lugubre dont ils s'étaient enfuis à toutes jambes ! Max s'approcha des murs en ruines. Il retrouva sans trop de mal l'anneau permettant d'ouvrir la trappe. Il tira dessus de toutes ses forces. La trappe s'ouvrit. Il prit son courage à deux mains et redescendit dans la cave, armé de sa torche électrique.

Toujours cette même humidité froide et cette persistante odeur de pommes. Mais rien d'autre. Comme l'avait si bien dit Céleste, pas de cadavre, ce qui le soulagea, pas de valise pleine de billets de banque. Rien.

Il se laissa tomber dans un coin de la cave et se mit à jouer de la lampe de poche. Allumée-éteinte-allumée-éteinte. Il jonglait avec les idées : M. Josèphon, le livre abîmé, M. Duguay, les cambriolages, le livre abîmé, le message truqué, la cave, le livre abîmé. Il en revenait toujours au livre abîmé. Depuis le début de cette aventure, il se doutait que ce livre n'avait pas été déchiqueté par hasard. Les pages manquantes révélaient probablement des informations que quelqu'un voulait garder secrètes. Si seulement la bibliothèque était branchée sur Internet, une vérification aurait été facile !

Qui pouvait avoir arraché ces pages ? M. Josèphon ? Pendant qu'il travaillait à installer les étagères à la bibliothèque ? M. Duguay ? Au cours de ses « recherches »?

Un lecteur peu scrupuleux intéressé par l'histoire de Ste-Marguerite et peu soucieux des autres ? La liste des suspects s'étirait. N'importe qui pouvait avoir brisé cet ouvrage.

Il faisait fausse route. Inutile de chercher l'identité du vandale. Il valait mieux trouver un moyen de reconstituer le contenu de la section disparue. Plus facile à dire qu'à faire cependant.

Il réfléchit à la question. Allumée-éteinte-allumée-éteinte. Aucun plan merveilleux ne s'échafaudait dans son cerveau. Allumée-éteinte-allumée. Soudain, Max vit quelque chose briller par terre. Il se pencha et ramassa un petit bout de verre coloré. Il était sûr et certain de ne pas l'avoir vu lors de sa dernière visite. Il le mit dans sa poche en ayant bien soin de l'envelopper pour ne pas se couper et sortit de la cave comme une fusée. Une explication germait dans sa tête. Mais avant toutes choses, il devait absolument en apprendre davantage sur les vieilles maisons de la région.

Il courut jusque chez Clovis et Clémentine. En entrant, il arracha presque la porte tellement il se dépêchait. Se contentant d'un petit signe de la main pour saluer sa tante, il se précipita sur le téléphone. Quelqu'un pouvait probablement lui donner l'information qu'il voulait. Pas une seconde à perdre !

— Oui, allô! répondit une jolie petite voix flûtée.

— Rosalie ! Bonjour ! C'est Max !

— Max ! Wow ! Génial ! Tu es revenu ? Comment vas-tu ? demanda Rosalie ravie d'avoir des nouvelles de son ami dont elle n'attendait pas le retour avant quelques jours.

— Non Rosalie, je suis toujours à Ste-Marguerite. Ça ne va pas très bien. J'ai vraiment besoin que tu me rendes un gros service. C'est une question de vie ou de mort ! déclara Max solennellement.

— Hou la la ! C'est si grave que ça ? Tu n'exagèrerais pas un tout petit peu ?

— J'aimerais bien. Mais j'en doute. Ton père s'intéresse-t-il toujours aux vieilles maisons québécoises ?

— Aux dernières nouvelles, oui. Pourquoi ? Tu veux en acheter une ?

— Arrête de plaisanter ! C'est sérieux ! Il faut que je parle à ton père. Peux-tu lui dire qu'il est demandé au téléphone ?

— Mais non, Max ! Je ne peux pas ! Le dimanche mon père joue au golf. Il ne reviendra pas avant ce soir.

— Ce sera trop tard... soupira Max, découragé.

— Trop tard pour quoi ? Cesse de faire le mystérieux, Maximilien Legrand ! Explique-toi, répliqua Rosalie, agacée.

— Je n'ai pas le temps. Mais je te jure sur ma tête que c'est très grave. Regarde dans la bibliothèque de ton père. Vérifie s'il a un livre qui s'intitule «*La vieille maison québécoise*». C'est écrit par Sébastien de Blois.

— Tu as une urgence historique? le taquina Rosalie.

Max ne se sentait pas du tout d'humeur à apprécier les boutades de son amie.

— ROSALIE! S'il te plaît. Fais-le pour moi. Arrête de faire des blagues.

— D'accord. D'accord. Attends, je prends le téléphone portable. J'y vais.

Max entendait le bruit des pas de Rosalie à l'autre bout de la ligne. Il l'imaginait en train de marcher dans le long corridor, se dirigeant à pas de tortue vers le bureau de son père. Il rêvait de pouvoir se téléporter chez elle pour faire les recherches à sa place. Bouger au lieu d'attendre en piaffant d'impatience.

— Ah non! La porte du bureau est verrouillée!

— Ciboulette de ketchup de moutarde forte! Il ne manquait plus que ça. Tout est perdu!

— Relaxe Max! Pas de panique, on n'est pas sur le Titanic! Je disais ça pour te faire peur! Bon, voyons ça: *Encyclopédie de la maison québécoise*, non; *Antiquités du Québec*, non plus; *Trésors architecturaux du terroir*, non. Tiens, tiens ! *Histoires croustillantes de la galanterie au temps de la Nouvelle-France*, qu'en penses-tu ? Cela semble fort intéressant ! Non ?

Un peu plus et Max éclatait sur place soufflant de la fumée par les oreilles. Il ne se contint plus. Sa copine abusait clairement de la situation.

— Rosalie, arrête de lambiner ! C'est important ! la supplia-t-il.

— Je me dépêche, je me dépêche, je me dépêche ! Viens le faire toi-même si tu préfères, rouspéta son amie.

Finalement, elle mit la main sur le livre tant désiré.

— Va à la page 207 ! lui intima Max, plein d'espoir.

Quand Rosalie lui lut le passage indiqué, tout devint plus clair.

— Madame Laviolette ! Madame Laviolette ! Je crois savoir ce qui est arrivé à Céleste !

Max avait couru encore plus vite que d'habitude. Il était tellement essoufflé que la vieille dame avait peine à le comprendre. Ce qu'il venait de lui dire ressemblait à « ma... olette...ma ...olette...ois...rivé...Céleste...! »

Néanmoins, nul besoin de mots pour mesurer le niveau d'excitation de Max. Une explosion monumentale semblait imminente. Mme Laviolette agit alors comme on devrait toujours le faire dans de telles circonstances : elle prit place dans sa berceuse préférée. D'un geste, elle indiqua à Max de s'asseoir. Elle saisit ses aiguilles, sa pelote de laine et commença à tricoter en se berçant doucement. On aurait dit qu'elle avait des millions d'années devant elle. Quelques instants plus tard, Max put reprendre la parole. Normalement.

XIX

Quand une grand-mère s'en mêle

— MONSIEUR le maire ! J'EXIGE que vous appeliez la police ! insista Mme Laviolette

Les mots de la vieille dame sonnaient comme « MAXIMILIEN LEGRAND » dans la bouche de Rosalie. Max se réjouissait qu'ils ne lui soient pas adressés.

— Si vous ne le faites pas, je vais m'en occuper moi-même. Cependant, étant magnanime, je vous laisse une chance d'éviter l'humiliation, continua la bibliothécaire.

— Malgré tout le respect que je vous dois, madame Laviolette, je ne vois rien qui vous autoriserait à EXIGER quoi que ce soit de ma personne.

— Vous faites erreur Monsieur le maire, Max a trouvé quelque chose remettant toute cette histoire en question.

— Mais de quelle histoire parlez-vous madame Laviolette ? Il n'y a plus d'histoire ! Vous ne lisez pas les journaux ? Le voleur a été arrêté hier ! Affaire classée ! Voyez vous-même ! fit le maire en exhibant l'article de journal déjà laminé et accroché au mur derrière son bureau.

— Vous croyez encore tout ce qu'on écrit dans le journal, vous ? Mais dites-moi, que faites-vous de cela ? rétorqua Mme Laviolette en déposant un petit objet sur la table de travail de M. Gagnon.

— On dirait un morceau de verre cassé. Que voulez-vous que j'en fasse ? répliqua Monsieur le maire avec l'air exaspéré d'une personne très raisonnable obligée d'écouter une personne particulièrement stupide.

— Monsieur Gagnon, il s'agit d'un morceau de vitrail. Regardez bien, on voit le fil de plomb entre deux portions de couleurs différentes. Si vous observez mieux encore, vous verrez le dessin d'un clou s'enfonçant dans une main. Or, je me souviens très bien vous avoir aidé à choisir un vitrail dépeignant la crucifixion. Vous rappelez-vous monsieur Gagnon ? Nous sommes allés le chercher ensemble dans une église décrépite et vouée à la démolition !

Eh bien, Monsieur le maire, ce morceau de vitrail se trouvait au fond d'une cave abandonnée. Laissez-moi continuer ! déclara fermement Mme Laviolette à M. Gagnon qui faisait mine de lui couper la parole. Ne faites-vous pas partie de ces chanceux qui ont récupéré leurs objets volés dans la remise de M. Duguay ? Oui, MONSIEUR le maire, JE LIS LE JOURNAL. M. Jolicœur, le reporter, a bien mentionné ce détail dans son article.

Les joues du maire Gagnon avaient pris une magnifique teinte rubis.

— Dites-moi monsieur Gagnon, reprit la vieille dame, ne vous aurait-on pas restitué un magnifique vitrail avec quelques carreaux manquants ? Pouvez-vous m'expliquer comment une partie de votre bien se retrouve dans une remise et l'autre dans une vieille cave ? N'est-ce pas la preuve que ces objets ont été déplacés d'un endroit à l'autre ? De la cave à la remise ? M. Duguay affirme toujours ignorer d'où venaient ces objets et ce qu'ils faisaient chez lui. Et s'il disait la vérité ? Et si le vrai coupable tentait tout bonnement de lui faire porter le chapeau ?

En guise d'éloquence, Mme Laviolette n'enviait rien à l'oncle Clovis, ni à tante Clémentine. Elle poursuivit, emportée :

— Ma petite-fille Céleste et ce charmant jeune homme que voici, dit-elle en désignant

Max, ont probablement, sans le savoir, dérangé les plans de ce voleur. Dimanche soir dernier, ils se promenaient dans le vieux verger et ils ont découvert, par hasard, l'entrée de la cave de l'ancien manoir incendié. Nous croyons que cette cave servait de cachette à ce bandit. Il a dû prendre peur en les voyant aussi près de son repaire. Le lendemain, Max recevait un message lui donnant rendez-vous à la bibliothèque vers minuit. Il s'agissait d'un piège ! Vos patrouilleurs ont offert une collaboration précieuse au voleur : ils ont arrêté Max et l'ont mis en prison pour la nuit ! Hors d'état de nuire ! Merci beaucoup Monsieur le maire ! Je parierais gros que Céleste a aussi reçu un message ce soir-là. Je crois que le cambrioleur la séquestre. Et maintenant, MONSIEUR Gagnon, je m'attends à ce que vous entrepreniez IMMÉDIATEMENT des recherches SÉRIEUSES pour retrouver ma petite-fille. Je ne partirai pas d'ici avant d'avoir obtenu satisfaction !

Sur ces mots, Mme Laviolette se cala confortablement dans un fauteuil du bureau, sortit ses aiguilles, sa pelote de laine et commença à tricoter.

M. Gagnon dut se rendre à l'évidence : il avait affaire à une adversaire coriace ; visiblement décidée à soutenir un siège prolongé si cela devenait nécessaire. Un peu décontenancé, mais pas encore complètement convaincu de son erreur, il se tourna vers Max et attaqua :

— Que faisiez-vous au verger dans la nuit de dimanche malgré le couvre-feu ?

Sidéré par autant de mauvaise foi, Max ne parvint pas à retenir sa langue :

— Allez-vous me remettre en prison, monsieur Gagnon ?

— Pourquoi pas ?

Une discussion bien corsée s'amorçait. Mais Max se montra raisonnable. Il leva les mains en signe d'appel à la paix et fixa le maire Gagnon dans les yeux, très poliment, très fermement.

— Vous avez raison monsieur Gagnon. Je n'ai pas respecté votre règlement. Mais pourrions-nous mettre mon infraction de côté pour un instant ? Je crois que nous savons tous les deux que le plus important est de retrouver Céleste Laviolette. AVANT QU'IL NE SOIT TROP TARD.

Ces derniers mots tombèrent comme une tonne de briques dans le bureau du maire. Mme Laviolette leva les yeux de son tricot quelques instants, impressionnée par la technique oratoire de Max. « Il ira loin ce garçon. Il a quel âge déjà ? Douze ans ? Un talent époustouflant », se dit-elle tout en reprenant son ouvrage.

— Hmmm, hmmm, fit le maire, quelque peu amadoué.

Il regarda Max attentivement et se mit à réfléchir tout haut :

— Admettons pour un instant, je dis bien pour un instant, que ce que vous dites soit vrai. Où Céleste peut-elle se trouver actuellement ?

M. Gagnon se frottait le menton avec application comme s'il s'agissait de la lampe magique d'Aladin et qu'une hypothèse extraordinaire allait brusquement en jaillir. Se tournant vers Mme Laviolette, il déclara :

— Si vous avez raison, Céleste et son voleur sont partis depuis belle lurette ! Inutile de s'éterniser au village ! Mettez vous à sa place.

— Ce que vous me suggérez là est impossible Monsieur le maire. Je suis absolument incapable de me mettre dans la peau d'un voleur ! En quatre-vingt-cinq ans, je n'ai jamais rien volé. Toutefois, je crois que Max a une petite idée qui pourrait nous aider.

— Nous t'écoutons, Max.

L'adolescent attendait exactement cet instant. Avoir une bonne théorie est une chose, savoir quand la présenter en est une autre. Beaucoup de bonnes explications restent lettre morte parce qu'exposées avec précipitation et impatience ! Quand un maire ou un autre personnage officiel vous demande expressément de vous exprimer, il faut en saisir l'opportunité. Max raconta donc au maire ce qu'il avait découvert en téléphonant à Rosalie.

Il faut reconnaître à M. Gagnon au moins une belle qualité : il sut faire amende honorable quand il prit conscience qu'il s'était trompé.

Il appela immédiatement les policiers.

XX

Tout est bien qui finit bien. Prise II

— Voyons donc ! Vous n'allez pas me laisser enfermée ici ?

— Et pourquoi pas, mademoiselle Céleste ? Désolé de te fausser compagnie ! Je t'emmènerais bien, mais tu es un peu trop voyante. Trop risqué. D'ailleurs tu n'en vaux pas vraiment la peine. Tu restes ici. On finira bien par te retrouver. Un jour. À ce moment, je serai déjà loin. Très loin. On ne me rattrapera jamais.

— Personne ne pensera à me chercher dans cette vieille cave abandonnée ! Il faudra une éternité avant qu'on vienne à mon secours ! Je mourrai de faim !

— Je croyais que tu te trouvais grosse? Tu maigriras un peu. Tiens, il ne sera pas dit que j'ai été cruel. Je te laisse une lampe de poche. Économise les piles! Il fait drôlement noir six pieds sous terre. Au revoir beauté céleste!

M. Joséphon eut un rire mauvais, fit semblant d'envoyer un baiser à Céleste, remonta l'escalier et sortit de la cave. La jeune fille s'élança derrière lui et réussit à gravir quelques marches, mais le méchant homme la repoussa du revers de la main et elle tomba à la renverse au pied de l'escalier.

— Un peu tard pour courir après moi, jeune impertinente! Il fallait y penser plus tôt! Adieu! Sois sage! *Parting is such sweet sorrow*! Comme le disait si bien Shakespeare. *De cet adieu, si douce est la tristesse*! Ah Roméo et Juliette! Quel classique!

Céleste ne bougea pas. La peur la paralysait. Ce fou venait de l'enterrer vivante, en lui récitant des vers. Elle l'entendit traîner sur le sol des objets lourds et les placer sur la trappe, comme il le faisait toujours en quittant la cave. Pour la première fois, elle espérait l'entendre revenir. Mais seul le silence répondit à ses prières.

Elle se rappela comment Max utilisait les lampes de poche pour se calmer. La cave se mit à clignoter. Allumée-éteinte-allumée. Excellent système d'appel à l'aide. Malheureusement, toutes les issues de la cave étaient hermétiquement bouchées. De l'extérieur, rien ne se voyait.

Une auto-patrouille s'engagea à basse vitesse sur la petite route de campagne.

— La deuxième maison brûlée devrait se trouver juste après le tournant ! Ici ! s'écria Mme Laviolette.

Le policier qui conduisait la voiture tourna dans ce qui restait d'une large allée, bordée de peupliers. Les arbres se dressaient toujours, majestueux, mais la nature avait envahi le chemin. Cahin-caha, la voiture de police se rendit au bout de la route.

Elle déboucha sur un grand champ désolé, laissé à lui-même, entouré de clôtures de perches cassées, à moitié tombées par terre. On distinguait assez bien un ancien carré de maison au fond du champ. En leur point le plus haut, les murs ne faisaient pas plus d'un mètre. La plupart des pierres avaient éclaté. Celles qui demeuraient étaient noircies par la fumée.

« Quel endroit sinistre ! Dans quel état va-t-on retrouver Céleste, si on la retrouve ? » pensèrent Max et Mme Laviolette, chacun de leur côté.

Les policiers remarquèrent des traces de pneus dans le foin sauvage.

— Un véhicule est passé ici récemment, dit un agent.

— Les traces s'arrêtent juste là, à côté du mur écroulé, fit observer son collègue, on dirait qu'une voiture s'est stationnée et est repartie, plusieurs fois au cours des derniers jours. Regardez, certaines herbes sont fraîchement cassées.

— Pas de temps à perdre ! Cherchons une trappe ! Si ce garçon dit vrai, on ne devrait pas avoir trop de mal à la trouver.

Le garçon en question se sentit bien nerveux tout d'un coup. Sa gorge semblait s'être subitement rétrécie et il avait du mal à avaler.

Pourtant, Rosalie avait été formelle. Le chapitre manquant du livre sur les vieilles maisons du Québec, parlait bien de Ste-Marguerite-la-très-verte. On y décrivait même en détail les deux plus anciennes maisons du village. L'auteur regrettait fort qu'elles aient malencontreusement brûlé au cours de l'été 1930. Le livre précisait, sur une petite note triste : « Il ne reste de ces splendides témoins du passé que des parcelles de leurs vieux murs écroulés et, sans doute, leurs vieilles caves désormais inutiles».

L'une des deux maisons anciennes de Ste-Marguerite était le vieux manoir avec sa cidrerie, retrouvé par Céleste et Max au milieu du verger abandonné. C'est dans sa cave que l'adolescent avait récupéré le morceau de vitrail formellement reconnu par Mme Laviolette, puis par M. Gagnon.

Grâce aux souvenirs d'enfance de Mme Laviolette, Max avait dirigé les policiers vers la deuxième demeure incendiée.

S'il y avait une cave sous le manoir, on devrait bien en trouver une ici aussi. Il fallait simplement localiser la trappe permettant d'y accéder. Peut-être dénicherait-on, du même coup, une seconde cachette du voleur de Ste-Marguerite. Avec beaucoup de chance, on y découvrirait des indices utiles pour retracer Céleste. Et si toutes les bonnes fées unissaient leurs efforts, on tomberait sur Céleste elle-même. Mais Max n'osait pas formuler explicitement cet espoir démesuré de peur de le voir éclater. Dire tout haut ses attentes lui paraissait trop risqué. Il gardait le silence et retenait son souffle.

Quelques mètres sous terre, Céleste tendait l'oreille. Elle croyait percevoir des sons inhabituels : le ronronnement d'un moteur d'automobile, des claquements de portières, le murmure étouffé de conversations. Des gens marchaient dehors, juste au-dessus. Elle se mit à crier très fort :

— Hé ho ! Je suis ici !

Mais personne ne l'entendait. La lampe de poche choisit précisément cet instant pour s'éteindre. Définitivement. Céleste refusa d'y voir un signe de malheur et continua à s'époumoner de plus belle.

— Désolé madame Laviolette, désolé Max. Voilà une demi-heure qu'on cherche partout. On n'a rien trouvé. Ni cave, ni trappe. Que des ruines. Le sous-sol s'est probablement effondré lors de l'incendie. C'était pourtant une bonne idée, jeune homme. Tu m'avais convaincu.

Voyant l'air navré de Max, le policier tenta de le réconforter :

— Nous la retrouverons ton amie ! Pas ici, mais ailleurs ! Nous lancerons un avis de recherche, avec sa photo, à travers toute la province et, si cela ne suffit pas, à travers tout le Canada ! Tu la reverras, ne t'inquiète pas !

S'il pensait rassurer Max, le policier se trompait complètement. L'adolescent fut plutôt saisi d'un vertige monumental. Si les recherches à Ste-Marguerite-la-très-verte échouaient, comment imaginer qu'on ferait mieux dans l'immensité du pays tout entier ?

Max sentit ses jambes ramollir comme du chiffon. Il se laissa tomber par terre, tout près d'un amas de bûches et de branches mal empilées.

Touché par sa peur et son chagrin, chacun fit silence. Un calme funèbre tomba sur cet endroit qui, quelques minutes plus tôt, bouillonnait du brouhaha de recherches intensives. Max retenait difficilement ses sanglots. Tout était perdu. On ne reverrait jamais Céleste. Encore une fois, il avait pris ses désirs pour la réalité. Quelle idée aussi de vouloir jouer au détective ! En fait, il n'était qu'un jeune adolescent de douze ans assez prétentieux pour se croire capable de déjouer tout seul les plans d'un cambrioleur expérimenté. Max s'en voulait à mort et se traitait de tous les noms. Il passait un très mauvais moment. Subitement, il se leva d'un bond prodigieux comme si une guêpe particulièrement vicieuse venait de le piquer.

— Entendez-vous ça ? cria-t-il tout excité.

Chacun tendit l'oreille.

— Écoutez ! Quelqu'un appelle à l'aide ! Juste ici ! hurla-t-il désignant le tas de bois.

Tous écoutèrent encore plus attentivement : aucun doute possible, une voix semblait bien provenir de là.

— Mon Dieu ! On dirait la voix de Céleste ! s'écria Mme Laviolette très agitée.

À grands coups de pied et à grandes brassées, sans se soucier des échardes, Max éparpilla l'amas de bûches et de branchages accumulés là par le perfide M. Joséphon. L'anneau permettant d'ouvrir la trappe tant recherchée apparut enfin. À partir de ce moment, tout se passa très rapidement. On libéra Céleste de sa fâcheuse situation.

Quelles retrouvailles touchantes, quoique légèrement désorganisées ! La scène évoquait une piste de danse sur laquelle tous les danseurs se disputeraient la même partenaire. Céleste fut serrée contre tant de poitrines qu'elle faillit mourir étouffée ! Elle avait survécu à la méchanceté de M. Joséphon, mais succomba presque à l'exubérance joyeuse de ses sauveteurs. Par bonheur, Mme Laviolette prit la situation en main. Elle délimita, autour de sa petite-fille rescapée, un périmètre de sécurité au moyen de ses aiguilles à tricoter. Les policiers modérèrent immédiatement leurs transports et se conduisirent dès lors en véritables professionnels. Ils interrogèrent sans délai la jeune fille.

Apprenant le rôle de M. Joséphon dans toute l'affaire, Mme Laviolette fit une énorme colère.

— Utiliser un livre pour faire autant de mal ! Ça me dépasse ! Quand vous rattraperez ce Joséphon Brisebois, ajouta-t-elle en se tournant vers l'un des policiers, vous lui direz qu'une TRÈS GROSSE amende l'attend à la bibliothèque. Déchirer un si beau livre et le jeter dans une poubelle ! Quel mal élevé !

Étant donné les déclarations de Céleste, M. Duguay fut innocenté et libéré de prison sur le champ. Sa réaction fut tout à fait inattendue. Plutôt que d'en garder un mauvais souvenir, il se déclara, au contraire, enchanté par son aventure et précisa à qui voulait bien l'entendre qu'il cherchait sans succès des sujets pour un roman, depuis des années. Son séjour en prison, quoique fort court, lui en avait fourni des tonnes. Il écrirait un livre sur son expérience carcérale et ce livre deviendrait un best-seller ! Un jour, on en ferait même une télésérie ! Il serait célèbre !

Quel optimisme réconfortant !

Peu de temps après, on arrêta M. Joséphon dans un village voisin. Il se fit prendre alors qu'il tentait de vendre, au marché aux puces, une partie de ce qu'il avait dérobé. Il clama avec véhémence son innocence. Il tenta même odieusement de rejeter le blâme sur le pauvre M. Duguay. Il joua les victimes larmoyantes, affirmant que ces objets lui venaient d'un client, un certain M. Marcel Duguay, en paiement de travaux de menuiserie. Sa plaidoirie n'émut personne. On le confia à la garde de l'État.

Grâce aux bons soins de sa grand-mère, Céleste se remit rapidement de ses émotions.

Le mardi matin, par hasard, Max la vit monter dans l'autobus pour la ville. Elle lui fit un petit salut de la main. Absolument estomaqué, il se précipita chez Mme Laviolette qui s'empressa de le rassurer :

— Allons Max ! Penses-tu vraiment que Céleste partirait sans te faire des salutations convenables ? Elle ne s'appelle pas Joséphon

Brisebois ! Calme-toi ! Elle a quelque chose de spécial à faire aujourd'hui ; elle reviendra d'ici la fin de la journée !

Céleste revint, comme promis. Mais, sur le coup, Max eut un peu de mal à la reconnaître.

— J'en avais assez de mes cheveux bleus. Chaque fois que je me regardais dans un miroir, je repensais à toutes les stupidités que me chantait M. Joséphon à leur sujet. Tu ne trouves pas ça plus mignon ? s'enquit Céleste, en faisant virevolter autour de sa tête ses nouvelles boucles...rose bonbon !

Max garda le silence. Il connaissait mieux les filles maintenant et savait faire la différence entre une vraie question exigeant une réponse sans équivoque et une fausse question à laquelle il ne fallait surtout pas essayer de répondre, à moins de tenter le diable pour se désennuyer.

Son petit doigt lui disait que l'apparente question de Céleste appartenait sans conteste à la seconde catégorie. Il se contenta donc de la regarder béatement. Choix judicieux, comme le prouva le magnifique sourire qu'il reçut en retour.

XXI

Une bien belle confession. Prise II

Le premier mercredi du mois d'août, jour du grand départ, arriva beaucoup trop vite au goût de Max. Le temps est décidément un joueur de tours incorrigible qui adore contrarier les gens. Lorsque l'on s'ennuie ou que l'on est triste, il le sait et prend ses aises. Il s'étire comme un chat au soleil et fait le paresseux. Les minutes se changent en heures et les heures durent des siècles. Si, au contraire, on passe un bon moment, le temps s'excite et se transforme en *Ferrari*! Pour le voir, il faudrait pouvoir le filmer et repasser la bande au ralenti. Comme Max ne voulait pas quitter Ste-Marguerite, le temps fila à la vitesse de l'éclair.

Les parents de Max apprirent tout des péripéties de leur fils héroïque par Clovis et Clémentine. Sa nuit en prison, cependant, fut passée sous silence, tel un véritable secret d'État. Nathalie et Paul décidèrent de venir chercher Max eux-mêmes. Ils ne voulaient pas courir le risque de laisser leur fils sans supervision pendant quatre heures dans l'autobus. Qui sait ce qui pourrait lui arriver? Pour l'occasion, Alexandre et Augustine les accompagnèrent. Max trouva ses parents rajeunis, pimpants, bien bronzés, l'air amoureux et très reposés. Mais l'apparence piteuse de son frère et de sa sœur le laissa pantois.

Augustine semblait être tombée dans un nid de fourmis rouges affamées. Elle avait passé les deux dernières semaines de son camp musical à l'infirmerie, foudroyée par une varicelle galopante. Couverte de pustules rouges et croûtées, la pauvre était d'une humeur massacrante. Quant à Alexandre, revenu du camp spatial plus lunatique que jamais, il croyait dur comme fer à son pseudo-voyage dans l'espace, vivant encapsulé dans un état de rêve permanent. Même le récit des aventures trépidantes de son frère ne réussissait pas à le ramener sur Terre.

Le maire organisa une petite cérémonie pour souligner la bravoure et la persévérance de Max à l'origine de la libération de Céleste et de l'arrestation de cette crapule de Joséphon Brisebois. Il remit à Max une fort jolie médaille gravée aux armoiries de la ville, en guise de souvenir et en gage de reconnaissance. Puis, il fit un beau discours. Tout se passa très bien, jusqu'à ce que le magistrat éprouve le besoin irrésistible de confesser publiquement sa bêtise dans la question du couvre-feu. Il cherchait sans doute un pardon aussi grand que sa faute.

— Mes chers concitoyens, parents et amis, vous savez à quel point je tiens au bien-être et à la sécurité de notre communauté ! Parfois, il est vrai, je peux me laisser quelque peu emporter par mon désir de vous protéger. Prenons par exemple ce couvre-feu que je vous ai imposé, avec les meilleures intentions ! Je dois constater qu'à cause de ce règlement, des innocents se sont retrouvés en prison, alors qu'un voleur se promenait en toute liberté, sans inquiétude. Je vous demande à tous de me pardonner.

Tout le gâchis qui allait suivre aurait pu être évité si le maire Gagnon avait terminé ainsi sa belle allocution. Mais il était aussi flamboyant dans le regret que dans l'erreur. Il ne faisait jamais rien à moitié et n'allait pas commencer aujourd'hui. Il continua donc sur sa belle lancée :

— Je dois surtout demander pardon à mademoiselle Céleste Laviolette et à monsieur Maximilien Legrand, nos héros du jour, commença-t-il.

Entendant ces premiers mots, Max eut la certitude absolue qu'une catastrophe inévitable se préparait, comme si une voiture se mettait subitement à manquer de freins en amorçant la descente du mont Everest.

— Tout d'abord, pardon à vous Céleste. Tous mes préjugés vous ont mise en grand danger. J'implore votre indulgence envers un vieux monsieur qui ne s'y connaît plus très bien en jeunes filles et qui se laisse impressionner par les apparences. Je ne voyais pas plus loin que le bout de votre nez percé. Vous méritiez mieux que mon jugement intempestif et biaisé. Veuillez me pardonner, dit-il, la main sur le cœur.

Céleste lui fit un petit sourire clément. Un peu ragaillardi, M. Gagnon continua son plaidoyer :

— Quant à vous, Maximilien, parviendrez-vous un jour à oublier votre nuit dans la prison de Ste-Marguerite-la-très-verte ? Saurez-vous être miséricordieux ?

Il aurait fallu avoir plusieurs paires d'yeux pour évaluer au même instant l'impact désastreux de ces propos repentants.

Max se cacha le visage dans les mains en pensant : « Et voilà pour le secret d'État ultra-bien gardé ! ». À travers ses doigts, il tenta de déceler comment ses parents réagissaient à cette nouvelle. Malheureusement, il ne voyait que leurs dos. Il n'en apprit pas grand-chose.

Clovis et Clémentine étaient horriblement gênés. Ils se tortillèrent tant sur leur chaise qu'ils en faisaient pitié.

Nathalie et Paul Legrand ne savaient plus qui regarder, complètement dépassés par de telles informations. Max en prison ? Qu'est-ce que leur turbulent cadet avait encore machiné ?

Soudainement très intéressés, Augustine et Alexandre sortirent de leur léthargie pour dévisager leur frère.

Un grand silence s'abattit quelques instants sur la cérémonie.

Encore une fois, Mme Laviolette sauva la situation :

— Allons ! Allons ! Tout cela est du passé ! Cette réunion se veut une célébration ! Venez tous chez moi ! Céleste et moi avons préparé un petit goûter !

Après un bref instant de flottement, la réputation des deux cuisinières n'étant plus à faire, tout le monde accepta l'invitation. La troupe quitta la place de la mairie et se dirigea vers le jardin de Mme Laviolette.

La collation eut des allures de grande réception. On se gava de crème fouettée, de crêpes Suzette, de tartes et de gâteaux qui goûtaient déjà bon, juste à en entendre le nom.

Comme il est très impoli de parler la bouche pleine, Max trouva dans sa gourmandise une bonne façon de retarder le moment des aveux à ses parents. Il finit par avoir un peu mal au cœur, mais gagna quelques instants de répit supplémentaire. Finalement, il n'eut pas besoin d'expliquer quoi que ce soit. M. Gagnon s'en chargea lui-même à grand renfort de soupirs et de regards coupables. Les parents de Max écoutaient attentivement le maire, en jetant de temps en temps des coups d'œil compatissants à leur fiston. Visiblement, M. Gagnon prenait sur ses épaules l'entière responsabilité du monstrueux cafouillage et laissait le beau rôle à Max.

À la fin de la journée, quand tout le monde fut bien rassasié, vint l'incontournable moment des au revoir. Accolades et embrassades furent échangées en un joyeux remue-ménage. Reste qu'un petit nuage de nostalgie flottait dans l'air, comme cela arrive souvent à la fin d'une fête particulièrement réussie.

Céleste serra Max bien fort dans ses bras. Pas besoin de mots pour dire toute l'amitié qui les unissait à cet instant. De toutes façons, il y a des sentiments pour lesquels le bon mot n'existe pas.

Oncle Clovis et tante Clémentine embrassèrent leur neveu en lui rappelant bien qu'il pouvait revenir n'importe quand : sa chambre et sa canne à pêche l'attendraient fidèlement. Ils ne pouvaient cependant pas lui garantir des aventures aussi palpitantes à chacune de ses visites, Ste-Marguerite-la-très-verte étant généralement un endroit vraiment paisible.

Mme Laviolette fit un petit baiser à Max et félicita chaleureusement ses parents pour sa belle éducation. Alexandre et Augustine répondirent en levant les yeux au ciel. Heureusement pour eux, Mme Laviolette ne vit pas leur petit manège. Elle les aurait vertement remis à leur place, ce qui aurait inévitablement un peu gâché ce bel après-midi.

Plus tard, dans la voiture familiale qui les ramenait enfin tous à la maison, Nathalie et Paul firent cette charmante annonce à leurs enfants :

— On voit bien qu'on ne peut pas vous laisser seuls un instant ! On s'absente un petit mois et au retour, on en a une à l'infirmerie, un autre sur la Lune, et on a failli en retrouver un en prison ! Aux prochaines vacances : on voyage tous ensemble ! Que diriez-vous de passer Noël dans le Sud, sur une belle plage, au bord de la mer ? Nous partirons dans quatre mois, ainsi tu auras amplement le temps de préparer ta valise, n'est-ce pas Max ? Il ne faudrait pas que tu oublies un de tes maillots de bain ou ton matelas flottant en forme de requin !

Nathalie posa sur son fils des yeux tendres et coquins. Max comprit tout de suite que sa mère savait pour la valise du voyage imaginaire en Grèce. Il l'avait oubliée sous le lit.

L'adolescent lui fit un petit sourire complice, s'étira et allongea bien ses jambes pour profiter de cet instant. Il ferma les paupières et repensa à son été. Que de belles aventures ! Il lui tardait de tout raconter à Rosalie ! Même avec ses cent-cinquante activités, elle n'avait sûrement rien vécu de tel.

— Dis maman, où irons-nous exactement ? demanda Augustine.

— En Jamaïque, ma grande. Un endroit fabuleux ! Plein de soleil, de sable doré. Extraordinaire ! Il paraît même que des tas de pirates y ont caché leurs trésors. Avec de la chance, tu découvriras peut-être une vieille cave ou une vieille grotte abandonnée recelant un coffre oublié ! Toutes sortes de légendes circulent au sujet de cet endroit.

Max se boucha les oreilles avec les mains. Il ne voulait plus jamais entendre parler de caves, de cachettes et de pirates. Quoique… Il écarta un peu les mains :

— Sérieux maman ? Des trésors ? Des grottes ? Dis-m'en plus ! s'exclama-t-il presque malgré lui.

— Eh bien, il s'agit d'un long récit, mais nous avons encore quelques heures de route devant nous. Je vais donc vous le raconter.

Nathalie fit une courte pause, mit de l'ordre dans ses idées et commença :

— Autrefois, un vieux loup de mer du nom de John Le Terrible, semait l'effroi dans la mer des Caraïbes…

À cet instant précis débutèrent les étranges vacances de Noël de Max. Mais, ceci est une autre histoire…

TABLE DES CHAPITRES

LYNE

VANIER

Lyne Vanier est née à Montréal et habite l'île d'Orléans. Sa maison est encombrée des centaines de livres qui ont bercé son enfance et son adolescence. Elle est la guide officielle des choix littéraires de son conjoint et de ses trois fils. Elle rêve du jour où elle pourra transformer son grenier en une immense bibliothèque garnie de fauteuils dans lesquels on s'enfonce pour lire à satiété. Une bibliothèque où *Maximilien Legrand, détective privé*, son tout premier roman pour la jeunesse, occupera une place bien spéciale !

Collection Conquêtes

11. **Jour blanc,** de Marie-Andrée Clermont et Frances Morgan
12. **Le visiteur du soir,** de Robert Soulières, prix Alvine-Bélisle 1981
14. **Le don,** de Yves Beauchesne et David Schinkel, prix du Gouverneur général 1987, Certificat d'honneur de l'Union internationale pour les livres pour la jeunesse (IBBY)
15. **Le secret de l'île Beausoleil,** de Daniel Marchildon, prix Cécile-Rouleau de l'ACELF 1989
16. **Laurence,** de Yves E. Arnau
17. **Gudrid, la voyageuse,** de Susanne Julien
18. **Zoé entre deux eaux,** de Claire Daignault
19. **Enfants de la Rébellion,** de Susanne Julien, prix Cécile-Rouleau de l'ACELF 1988
20. **Comme un lièvre pris au piège,** de Donald Alarie
21. **Merveilles au pays d'Alice,** de Clément Fontaine
22. **Les voiles de l'aventure,** de André Vandal
24. **La bouteille vide,** de Daniel Laverdure
25. **La vie en roux de Rémi Rioux,** de Claire Daignault
26. **Ève Dupuis, 16 ans ½,** de Josiane Héroux
27. **Pelouses blues,** de Roger Poupart
29. **Drôle d'Halloween,** nouvelles de Clément Fontaine
30. **Du jambon d'hippopotame,** de Jean-François Somain
31. **Drames de cœur pour un 2 de pique,** de Nando Michaud
32. **Meurtre à distance,** de Susanne Julien
33. **Le cadeau,** de Daniel Laverdure
34. **Double vie,** de Claire Daignault
35. **Un si bel enfer,** de Louis Émond
36. **Je viens du futur,** nouvelles de Denis Côté
37. **Le souffle du poème,** une anthologie de poètes du Noroît présentée par Hélène Dorion

38. **Le secret le mieux gardé,** de Jean-François Somain
39. **Le cercle violet,** de Daniel Sernine, prix du Conseil des Arts 1984
40. **Le 2 de pique met le paquet,** de Nando Michaud
41. **Le silence des maux,** de Marie-Andrée Clermont en collaboration avec un groupe d'élèves de 5e secondaire de l'école Antoine-Brossard, mention spéciale de l'Office des communications sociales 1995
42. **Un été western,** de Roger Poupart
43. **De Villon à Vigneault,** anthologie de poésie présentée par Louise Blouin
44. **La Guéguenille,** nouvelles de Louis Émond
45. **L'invité du hasard,** de Claire Daignault
46. **La cavernale, dix ans après,** de Marie-Andrée Warnant-Côté
47. **Le 2 de pique perd la carte,** de Nando Michaud
48. **Arianne, mère porteuse,** de Michel Lavoie
49. **La traversée de la nuit,** de Jean-François Somain
50. **Voyages dans l'ombre,** nouvelles de André Lebugle
51. **Trois séjours en sombres territoires,** nouvelles de Louis Émond
52. **L'Ankou ou l'ouvrier de la mort,** de Daniel Mativat
53. **Mon amie d'en France,** de Nando Michaud
54. **Tout commença par la mort d'un chat,** de Claire Daignault
55. **Les soirs de dérive,** de Michel Lavoie
56. **La Pénombre Jaune,** de Denis Côté
57. **Une voix troublante,** de Susanne Julien
58. **Treize pas vers l'inconnu,** nouvelles fantastiques de Stanley Péan
60. **Le fantôme de ma mère,** de Margaret Buffie, traduit de l'anglais par Martine Gagnon
61. **Clair-de-lune,** de Michael Carroll, traduit de l'anglais par Michelle Tisseyre

62. **C'est promis ! Inch'Allah !** de Jacques Plante, traduit en italien
63. **Entre voisins,** collectif de nouvelles de l'AEQJ
64. **Les Zéros du Viêt-nan,** de Simon Foster
65. **Couleurs troubles,** de Lesley Choyce, traduit de l'anglais par Brigitte Fréger
66. **Le cri du grand corbeau,** de Louise-Michelle Sauriol
67. **Lettre de Chine,** de Guy Dessureault, finaliste au Prix du Gouverneur général 1998, traduit en italien
68. **Terreur sur la Windigo,** de Daniel Mativat, finaliste au Prix du Gouverneur général 1998
69. **Peurs sauvages,** collectif de nouvelles de l'AEQJ
70. **Les citadelles du vertige,** de Jean-Michel Schembré, Prix M. Christie 1999
71. **Wlasta,** de Laurent Chabin
72. **Adieu la ferme, bonjour l'Amazonie,** de Frank O'Keeffe, traduit de l'anglais par Hélène Filion
73. **Le pari des Maple Leafs,** de Daniel Marchildon
74. **La boîte de Pandore,** de Danielle Simd
75. **Le charnier de l'Anse-aux-Esprits,** de Claudine Vézina
76. **L'homme au chat,** de Guy Dessureault, finaliste au Prix du Gouverneur général 2000
77. **La Gaillarde,** de Denis et Simon Robitaille
78. **Ni vous sans moi, ni moi sans vous :la fabuleuse histoire de Tristan et Iseut,** de Daniel Mativat
79. **Le vol des chimères :sur la route du Cathay,** de Josée Ouimet
80. **Poney,** de Guy Dessureault
81. **Siegfried ou L'or maudit des dieux,** de Daniel Mativat
82. **Le souffle des ombres,** de Angèle Delaunois
83. **Le noir passage,** de Jean-Michel Schembré
84. **Le pouvoir d'Émeraude,** de Danielle Simard
85. **Les chats du parc Yengo,** de Louise Simard

86. **Les mirages de l'aube,** de Josée Ouimet
87. **Petites malices et grosses bêtises,** collectif de nouvelles de l'AEQJ
88. **Les caves de Burton Hills,** de Guy Dessureault
89. **Sarah-Jeanne,** de Danielle Rochette
90. **Le chevalier des Arbres,** de Laurent Grimon
91. **Au sud du Rio Grande,** de Annie Vintze
92. **Le choc des rêves,** de Josée Ouimet
93. **Les pumas,** de Louise Simard
94. **Mon père, un roc!** de Claire Daignault
95. **Les rescapés de la taïga,** de Fabien Nadeau
96. **Bec-de-Rat,** de David Brodeur
97. **Les temps fourbes,** de Josée Ouimet
98. **Soledad du soleil,** de Angèle Delaunois
99. **Une dette de sang,** de Daniel Mativat
100. **Le silence d'Enrique,** de Annie Vintze
101. **Le labyrinthe de verre,** de David Brodeur
102. **Evelyne en pantalon,** de Marie-Josée Soucy
103. **La porte de l'enfer,** de Daniel Mativat
104. **Des yeux de feu,** de Michel Lavoie
105. **La quête de perce-neige,** de Michel Châteauneuf
106. **L'appel du faucon,** de Sylviane Thibault
107. **Maximilien Legrand, détective privé,** de Lyne Vanier

Bibliothèque publique du canton de Russell
Township of Russell Public Library